D0527918

Flamme cheval sauvage

Walter Farley

Flamme
cheval sauvage

Traduit de l'américain par J. Bréant

Illustrations de Michel Faure

HACHETTE

Cette histoire est dédiée à tous les garçons et à toutes les filles qui aiment les chevaux et qui n'ont jamais pu en avoir.

Chapitre 1

L'île des chevaux perdus

Île Azul. Latitude 14°3' nord. Longitude 36°28' ouest. Sorti du port de New York neuf jours auparavant, le cargo *Horn* se trouvait à un mille de l'île Azul dont il longeait le rivage. Son unique passager, Steve Duncan, était campé près du capitaine à l'avant du bateau. Il était en caleçon de bain ; son corps souple et bronzé ruisselait sous les embruns que l'étrave du *Horn* faisait jaillir chaque fois que le bateau plongeait à la rencontre des vagues. Depuis des heures, Steve guettait l'apparition de l'île Azul.

Le capitaine lui passa ses jumelles.

« Impossible d'approcher davantage, Steve, dit-il. Il y a là des récifs très dangereux. C'est bien la première fois que je les vois d'aussi près ! »

À la jumelle, Steve distingua une longue frange d'écume ; c'était la mer qui bouillonnait entre les récifs et le rivage. Aussitôt les récifs franchis, les flots prenaient une teinte sombre. En bondissant vers la côte, les vagues gagnaient en hauteur et en force, pour s'évanouir ensuite dans la brume qui flottait, pareille à un voile gris, autour de l'île Azul. Puis soudain éclataient des gerbes d'écume neigeuse quand les vagues se brisaient lourdement contre ce qui, aux yeux de Steve, apparaissait comme une muraille formidable.

D'un jaune d'or pâle, le rocher se dressait à plus de mille pieds au-dessus de la mer. C'était cette masse qu'il n'avait cessé de contempler depuis que le *Horn* côtoyait le rivage. Cette île ne ressemblait à aucune de celles qu'il avait aperçues dans la mer des Caraïbes. Outre qu'on n'y voyait pas de monts verdoyants comme dans les autres, elle ne présentait aucun pic, aucun ravin ; sa surface semblait lisse et complètement nue. On eût dit que le sommet de l'île Azul avait été raboté ; Steve ne pouvait la comparer qu'à un énorme bloc qu'on aurait laissé choir dans la mer. Il était aussi stérile et nu qu'un des monts de la Lune.

« *Azul* veut dire "bleu" en espagnol, expliqua le capitaine. Je me demande quel rapport il peut bien y avoir entre ce mot et ces rochers jaunâtres.

— On dit qu'il y a une plaine à l'extrémité nord de l'île, dit Steve.

— Nous devrions la voir devant nous en ce moment, mais elle est noyée dans la brume. Si c'est ce que tu appelles "une plaine", bien sûr. Vue du large, elle m'a toujours fait l'effet d'une langue de sable. Certes, on y distingue des collines herbues, mais pour un marin, autant vaudrait couler à pic que d'échouer sur cette île maudite. L'île Azul est le coin le plus désolé que j'aie jamais vu ! »

Se tournant vers le garçon, le capitaine interrogea :

« Mais qui donc t'a parlé de cette plaine, Steve ? Je suis surpris de l'intérêt que tu portes à l'île Azul. Je m'étonne même que tu en aies entendu parler : la seule carte où elle est portée est la carte marine à grande échelle de cette région ; de plus, l'île est à

l'écart de tous les itinéraires aériens. Je ne vois vraiment pas...

— Un grand ami à moi, Phil Pitcher, habite maintenant dans l'île d'Antago, expliqua Steve, le regard toujours dirigé vers la terre. C'est lui qui m'a parlé de l'île Azul dans une lettre que j'ai reçue il y a quelques semaines.

— Phil Pitcher..., reprit le capitaine d'un air pensif, il me semble que je me souviens de lui, Steve. N'est-ce pas un petit maigre qui porte encore des lunettes à monture d'acier ?

— C'est tout à fait ça ! fit Steve en souriant. Du reste, je crois bien qu'il s'est rendu à Antago à bord du *Horn*. »

Le capitaine éclata de rire.

« Pas étonnant ! s'exclama-t-il. Ce cargo est le seul qui relâche à Antago : l'île est trop à l'écart des lignes de navigation pour intéresser les grandes compagnies. Sûr que je me rappelle Phil Pitcher ! Pendant presque tout le voyage, il n'a fait que lire, mais il lui arrivait parfois de sortir de sa coquille et de me parler de lui-même. Il m'a paru regretter un peu d'avoir lâché son emploi aux États-Unis pour aller chercher fortune à Antago. Il se demandait s'il avait bien fait.

— Il n'en doute plus à présent, déclara Steve d'un ton convaincu. D'après ses lettres, il est bien plus heureux que chez nous. Pitch était notre plus proche voisin ; il faisait presque partie de ma famille. Il travaillait comme comptable chez un gros marchand de bois dans le bureau duquel il était enfermé toute la journée. Phil détestait ce travail. Il lui fallait le grand air ; il confiait à qui voulait l'entendre qu'un jour ou l'autre il lâcherait tout pour aller habiter à Antago où son demi-frère, Tom, possède une plantation de canne à sucre. Personne ne le croyait. Et puis, un beau jour, guère plus d'un an après, il a tout planté là, en effet, et s'est embarqué pour Antago.

— C'est un bien brave garçon, dit le capitaine avec un sourire.

— Oui, dit Steve avec chaleur, et nous avons été tous très contents qu'il ait réalisé son rêve ; mais il nous a beaucoup manqué.

— À l'entendre parler, on n'aurait jamais dit un gratte-papier. Si tu l'avais entendu raconter certaines histoires sur les conquistadors et leurs exploits ! Il y avait de quoi vous faire dresser les cheveux sur la tête.

— Phil a toujours été passionné par l'histoire de la conquête espagnole. Encore une raison pour laquelle il est venu s'installer ici.

— Alors, comme ça, tu vas passer tes vacances à Antago ? » interrogea le capitaine après un instant de silence.

Steve fit « oui » de la tête, puis il expliqua :

« Pitch nous a demandé, à papa et à moi, de venir le voir. Papa ne pouvait pas quitter son travail, mais il a tenu à ce que j'accepte l'invitation de notre ami. J'avais projeté de venir l'été prochain plutôt que maintenant, à quelques semaines de la rentrée, mais... »

Steve n'acheva pas. Visiblement gêné, il laissait errer son regard sur la mer et le rivage de l'île Azul. Il s'était promis d'être plus discret sur ses projets, mais le capitaine le considérait d'un air interrogateur.

« Je... je veux dire que je me suis décidé tout d'un coup à partir, avoua Steve sans oser rencontrer le regard du capitaine.

— Il s'écoulera bien dix-sept ou dix-huit jours

11

avant que je passe à Antago, dit celui-ci en souriant. D'ici là, tu trouveras peut-être le temps long.

— C'est bien possible », dit Steve.

Le capitaine alla donner un ordre, et le jeune homme demeura seul, accoudé à la rambarde, tandis que le *Horn,* ayant doublé la pointe de l'île, mettait le cap au sud sur Antago, à vingt milles de là. Steve se reprit à contempler l'île jusqu'à ce que son sommet, pareil à une coupole dorée, eût disparu dans la brume ; alors il descendit à sa cabine.

Ouvrant sa valise, il sortit d'une des poches une vieille coupure de journal toute froissée : une photo de la plaine de l'île Azul. Pitch l'avait jointe à sa dernière lettre. C'était à cause de cette photo, et seulement à cause d'elle, que Steve se rendait à l'invitation de Pitch maintenant plutôt que l'été prochain. Cette image l'avait intrigué au point qu'il eût été incapable d'attendre plus longtemps. Il voulait connaître ce mystérieux îlot. Pour la centième fois, Steve scruta les détails de la photographie. On y remarquait un canyon entre de hautes falaises surplombant la mer ; au premier plan ondulait une plaine déserte. Le regard de Steve s'arrêta longuement sur une troupe de chevaux qui, poursuivis par une vingtaine d'hommes, s'engouffraient dans le canyon. L'un des rabatteurs portait des lunettes ; près de sa tête, entourée d'un trait au crayon, le mot *moi* et une flèche qui désignait Pitch.

Un sourire fugitif passa sur les lèvres du jeune homme. Pour la centième fois il relut le commentaire imprimé sous la photo. Bien qu'il le sût par cœur, il le lut attentivement, pesant chaque mot :

La semaine dernière, une vingtaine d'habitants d'Antago sont allés à l'île Azul, à vingt milles au large, pour rassembler et emmener une partie des chevaux sauvages qui y vivent. On croit que ce sont les descendants des chevaux que les conquistadors ont importés dans notre hémisphère, il y a plus de quatre cents ans. L'Administration autorise les habitants d'Antago à prélever trente de ces bêtes tous les cinq ans. C'est Thomas J. Pitcher qui est chargé de regrouper et de transporter ces animaux, puis de les vendre après les avoir dressés.

Steve replia la coupure de journal et la rangea soigneusement.

Il était quatre heures de l'après-midi lorsque le *Horn* jeta l'ancre à deux encablures de Chestertown, port d'Antago. Sa valise à la main, Steve attendait que l'agent du service d'immigration eût fini de s'entretenir avec le capitaine. Par l'un des hublots, il apercevait sur la côte des hangars et des maisons aux toits rouges et, au-delà de la ville, la campagne verdoyante. Il fut tiré de sa contemplation par la voix de l'agent du service d'immigration qui lui demandait son passeport. Après avoir souhaité à Steve un agréable séjour à Antago et donné au jeune homme rendez-vous pour le retour, le capitaine s'excusa et sortit.

L'agent timbra le passeport de Steve et dit en le lui remettant :

« Phil Pitcher est là-bas qui vous attend sur le quai. Si vous êtes prêt, je puis vous embarquer tout de suite dans mon canot. »

Steve le suivit et, lestement, descendit à sa suite

l'escalier suspendu au flanc du cargo. À ses pieds, une embarcation se balançait, bercée par la houle. Six rameurs noirs athlétiques y étaient assis ; l'agent y sauta et, prenant la valise de Steve, l'aida à monter à bord.

Tandis que les rameurs poussaient au large et nageaient vers le port, Steve, assis à l'arrière, observait le *Horn*. Déjà les palans du cargo halaient d'énormes caisses hors de la cale et les descendaient dans les allèges rangées contre la coque. Le fret destiné à Antago serait bientôt déchargé et le *Horn* reprendrait sa course. Le capitaine lui fit un dernier signe d'adieu. Steve eut de la peine à réprimer un pincement au cœur. Il avait passé de si bonnes journées en compagnie du capitaine et de son second ! À quoi allait-il bien pouvoir s'occuper pendant plus de quinze jours dans ce trou perdu d'Antago ?

Pourtant il chassa résolument ces pensées moroses et se retourna vers le rivage. « Pour moi, se dit-il, c'est ici que commence l'aventure. Je n'y suis pas venu pour le simple plaisir de la traversée. C'est Antago que j'ai voulu connaître, ou plutôt l'île Azul. Je ne vais pas me laisser décourager par le peu que j'en ai aperçu. De toute manière, je m'attendais à découvrir un pays très différent du mien : une île perdue, déserte, inhabitée sauf par des chevaux sauvages. Elle n'en paraît que plus étrange. Il faut absolument que Pitch m'y emmène lors de mon séjour. »

Pendant que Steve se livrait à ces réflexions, le canot était entré dans le petit port. L'un des rameurs sauta sur le quai, devant un vaste hangar, et amarra le bateau. Steve chercha Pitch des yeux. Tout d'abord, il ne le reconnut pas dans le petit homme maigrichon, en short et casque colonial, qui se tenait debout sur le débarcadère. Mais l'homme, levant le bras, agita son casque ; Steve le reconnut aussitôt à ses lunettes à monture d'acier. Il lui rendit ses signaux de bienvenue et répondit à ses questions tandis qu'on amarrait la barque.

« Oui, criait-il, traversée magnifique ! Oui, tout va bien chez nous. Ça me fait rudement plaisir de vous revoir, Pitch ! »

Tout en conversant à tue-tête avec son vieil ami, Steve se disait : « Ce brave Pitch, toujours le même ! Je ne le reconnaissais pas tout d'abord. Jamais je ne l'avais vu dans cette tenue ! Ses genoux sont aussi noueux que le reste de sa personne. Il a bien bruni, mais sa figure n'a pas changé le moins du monde. Maman disait toujours que Pitch avait la mine d'un grand enfant. Au premier coup d'œil, assurait-elle, on sent qu'il ne ferait pas de mal à une mouche ! »

À peine le canot fut-il amarré que Pitch s'empara de la valise de Steve.

« Je ne peux pas te dire comme c'est bon de te revoir, petit ! s'exclama-t-il. Il y a si longtemps que j'espérais ta visite ou celle de ton père ! Comment va-t-il ? Et ta mère ? »

Chemin faisant, le garçon donna à Pitch toutes les nouvelles qui lui venaient à l'esprit. Après un arrêt à la douane, Pitch le conduisit à sa voiture garée près du bureau.

« La ville est à quelques milles du port », expliqua-t-il.

Tout en roulant par les rues, Pitch désignait à Steve les principaux édifices, la banque, le théâtre, le *Grand Hôtel*.

« Ça fait petite ville, bien sûr, avoua-t-il en manière d'excuse. (Il craignait tant que Steve ne s'ennuyât à Antago !) Pourtant, ajouta-t-il avec un bon sourire, j'espère bien que tu te plairas ici. Notre maison, ou plutôt celle de mon demi-frère Tom, est perchée au sommet d'une haute falaise qui domine la mer. On a de là-haut une vue magnifique.

— Je suis sûr de m'y plaire », assura Steve avec enthousiasme ; et, désireux de dissiper tout à fait les craintes de son ami, il lui posa mille questions sur Antago et sur la vie que Tom et lui y menaient.

Encouragé par tant de curiosité, Pitch parla longuement de la culture de la canne à sucre, de la plantation de son demi-frère : « l'une des plus belles du monde », affirmait-il. Lui, Pitch, tenait la comptabilité. Combien le métier était plus plaisant que dans le bureau de son ancien patron, le marchand de bois, où il était enfermé toute la sainte journée ! En fait, le plus gros de son travail de comptable ne durait guère que pendant la récolte. Le reste de l'année, il vivait en plein air. Antago jouissait presque toujours d'un temps idéal, un peu chaud certes en cette saison, mais Pitch ne s'en plaignait pas : il détestait les rudes hivers de son pays natal.

Les deux amis roulaient maintenant au milieu de vastes champs de hautes cannes à sucre, coupés par intervalles de prés à l'herbe drue où paissaient des vaches, des chèvres et des chevaux. Tout d'abord, Steve s'était promis d'attendre, avant de confier à Pitch son désir de visiter l'île Azul, que son hôte lui eût offert de l'y emmener ; mais à la vue des chevaux il n'y tint plus. Pourquoi remettre son aveu à plus tard ? Antago serait peut-être agréable pour un bref séjour, mais à la condition toutefois d'en sortir... pour aller explorer les mystères de l'île Azul. Quinze jours seraient vite passés. Mieux valait s'inquiéter sans plus tarder des moyens de s'y rendre.

Comme s'il avait lu les pensées de son compagnon, Pitch demanda à brûle-pourpoint :

« Dis-moi, Steve, aimes-tu toujours autant les chevaux ? Je me souviens que, tout gamin, tu nous as fait prendre, à mes amis et à moi, une dizaine d'abonnements à un magazine dont nous n'avions nulle envie, simplement parce que tu espérais gagner ainsi un poney ! »

Pitch était tout content : il venait enfin de trouver un sujet de conversation passionnant pour un jeune homme comme Steve.

« Plus que jamais ! s'écria celui-ci. J'ai fait beaucoup de cheval toute l'année dernière.

— Bravo ! fit Pitch. L'équitation est un sport merveilleux. (Il demeura un moment silencieux avec, dans ses yeux bleus, une ardeur que Steve ne lui connaissait pas ; puis il dit à mi-voix :) Je veux te confier quelque chose qui n'a cessé de me trotter par la cervelle ces temps derniers. »

De nouveau il se tut. Steve attendait, suspendu à ses lèvres.

« Eh bien, Pitch, demanda-t-il enfin, de quoi s'agit-il ?

— Te rappelles-tu la photo que je t'ai envoyée il y a quelques semaines ? Celle où je suis avec d'autres gars en train de rassembler des chevaux dans l'île Azul ?

— Si je m'en souviens ! s'exclama Steve. Elle ne m'a pas quitté depuis ; je l'ai même apportée dans ma valise. Aussi je voulais... »

Mais Pitch l'interrompit, pressé de conter sa propre histoire :

« C'est la seule fois que j'y suis allé, commença-t-il. Bien entendu, Tom m'en avait vaguement parlé et, avant que je vienne ici, il m'avait raconté dans ses lettres comment on rabattait les chevaux sauvages dans un îlot situé au large d'Antago ; il me donnait aussi quelques détails sur sa manière de les dresser. Mais, avoua Pitch en souriant, tu me connais : je n'entends pas grand-chose aux chevaux. Tout ce que j'en sais à présent, c'est Tom qui me l'a enseigné depuis que j'habite avec lui. »

Pitch s'arrêta et lança un coup d'œil à Steve qui l'écoutait avidement. Aussi reprit-il son récit, tout heureux de l'intérêt que montrait son jeune compagnon.

« Cette visite à l'île Azul, nous en avons joui, mes compagnons et moi, comme des boy-scouts en excursion ! Nous nous imaginions être des cow-boys. Je me vois encore, courant en short et casque colonial après les bêtes affolées, tout en me demandant ce que vous autres, là-bas dans l'Ouest, auriez dit de notre expédition. Nous avons rabattu les chevaux sans grand mal jusqu'au canyon, car l'île est étroite à cette extrémité-là. Nous avancions en tirailleurs, une vingtaine d'hommes, à cinquante pas d'intervalle. Bien entendu, c'est Tom qui dirigeait la manœuvre ; lui seul s'y connaît en chevaux. C'est donc lui qui a choisi les trente meilleures bêtes à rassembler et embarquer pour Antago. »

Pitch se tut de nouveau ; il n'avait pas l'habitude de faire d'aussi longs discours. Après un instant de réflexion, il poursuivit, comme s'il craignait d'avoir éveillé chez son jeune ami de trop beaux espoirs :

« Il faut avouer, Steve, que ce ne sont pas des bêtes de concours : elles sont petites et n'ont que la peau sur les os. Si tu voyais combien l'herbe est maigre et dure, et comme l'eau est rare sur cette île aride, tu t'étonnerais que ces animaux aient pu subsister. Eh bien, crois-moi si tu veux, mon petit, il y a des siècles que cette race se survit dans l'île Azul ! »

Pitch était tellement captivé par son sujet que ses yeux brillaient ; il reprit bientôt avec une volubilité qui fit sourire Steve :

« C'est pendant le voyage de retour à Antago, dans la vedette à moteur qui remorquait le bateau plat chargé de notre prise, que j'ai entendu l'histoire pour la première fois. J'étais assis près du photographe-reporter de notre journal hebdomadaire. Je lui confiai mon étonnement de trouver des chevaux sur l'île Azul. C'est alors qu'il m'apprit que ces bêtes descendent des chevaux arabes importés jadis par les conquistadors espagnols. J'ai essayé d'en savoir davantage, mais c'était là tout ce qu'il connaissait lui-même. J'étais d'autant plus déçu que l'histoire de la conquête de l'Amérique par les Espagnols m'a toujours passionné ; je ne puis comprendre qu'on ne partage pas ma curiosité à ce sujet. Quand je pense que Tom lui-même, qui savait pourtant combien cela m'intéressait, n'avait pas pris la peine de me raconter la merveilleuse histoire de ces chevaux perdus !

« Quand je lui ai rapporté ce que le photographe venait de m'apprendre, il a éclaté de rire en me voyant si excité.

« "Assieds-toi donc et calme-toi, m'a-t-il dit. Il n'y a pas un mot de vrai dans toute cette histoire. Voici quinze ans qu'on m'en rebat les oreilles. Ça fait bien dans les journaux avec de gros titres et des photos, mais ça ne tient pas debout."

— Pourtant, interrompit Steve visiblement déçu, comment les chevaux sauvages sont-ils venus dans l'île Azul ? Et pourquoi le gouverneur d'Antago les laisse-t-il à l'abandon dans ce lieu désolé, alors qu'ils trouveraient dans sa province de bien meilleurs pâturages et de l'eau en abondance ?

— C'est bien ce qui m'étonne, mon petit, répondit Pitch, et c'est justement là-dessus que j'ai interrogé Tom. "Comment des bêtes se trouvent-elles sur cette île ? — Parce qu'on les y a débarquées, pardi !" Voilà sa réponse. "Pourquoi, en tant qu'agent de l'administration d'Antago, était-il autorisé à ne les capturer que tous les cinq ans ? Pourquoi trente seulement chaque fois ? Pourquoi fallait-il en laisser un nombre suffisant afin que cette race se reproduise indéfiniment dans ce désert ? Pourquoi, si tout cela n'était pas racontars ?" Pour toute réponse, Tom s'est remis à me rire au nez. Puis il a prétendu que la Chambre de commerce s'intéressait bien plus que le gouvernement aux chevaux sauvages de l'île Azul, que leur présence, apparemment mystérieuse dans ce coin perdu, fournissait aux journalistes des articles à sensation. On attirait ainsi, dans cette partie des Caraïbes, des touristes qui sans cela n'y auraient jamais mis les pieds. Il a même déclaré : "Je ne serais pas surpris d'apprendre un jour que les chevaux ont été importés là pour faire croire à la légende !"

« Mais je ne me suis pas laissé ébranler par ses sarcasmes, continua Pitch. Je reste convaincu qu'il y a un fond de vérité dans ce que m'a dit le photographe, et, plus que jamais résolu à éclaircir ce mystère, je me suis mis à étudier l'histoire de la conquête espagnole. J'ai appris ainsi qu'Antago a été jadis une des bases de ravitaillement des Espagnols. »

Les yeux de Pitch brillaient, tandis qu'il poursuivait, tout excité par sa découverte.

« C'est de là, Steve, que ces cruels conquistadors, les Cortés, les Pizarre et les Balboa, ont pu débarquer leurs troupes, leurs chevaux, leurs canons et leurs vivres après avoir traversé l'Atlantique, et c'est là qu'ils ont préparé leur débarquement sur le continent américain, où ils ont pillé les trésors des Incas et des Aztèques ! »

Pitch s'interrompit un instant, puis d'un ton plus calme, il reprit :

« De plus, j'ai lu aussi qu'en 1669 des pirates anglais et français sont parvenus à s'emparer d'Antago et l'ont pillée après en avoir chassé les Espagnols.

— Et Azul ? demanda Steve, qu'avez-vous appris à son sujet ?

— Rien, absolument rien, repartit Pitch. Les livres la citent simplement comme une île déserte située à vingt milles au nord d'Antago.

— Pourtant, et malgré les dires de Tom, vous persistez à croire que les animaux qui vivent en liberté sur l'île Azul peuvent être les descendants des chevaux des conquistadors ? demanda Steve, intrigué au plus haut point.

— Absolument, déclara Pitch d'un ton convaincu. L'île Azul était certainement connue des Espagnols. Qui sait ? ils s'y sont peut-être réfugiés après la prise d'Antago par les pirates. (Et il ajouta avec une fougue dont Steve ne l'aurait pas cru capable :) Je veux retourner à l'île Azul, mais sans Tom et les autres. Seul avec toi, Steve, puisque la question t'intéresse également. »

Steve pouvait à peine contenir sa joie.

« Quand pourrons-nous y aller, Pitch ? demanda-t-il avec enthousiasme.

— Mais... quand nous voudrons, je crois, dit Pitch après un temps de réflexion. J'avais projeté d'y retourner avec toi dès que ton père m'a annoncé ton arrivée. Oui, nous pourrons y aller quand tu voudras.

— Demain, Pitch ?

— Demain ? fit celui-ci en considérant le visage rayonnant de Steve. Pourquoi pas, après tout ? Je ne suis pas un campeur bien expérimenté, mais j'ai tout ce qu'il nous faut pour passer quelques jours dans une île déserte. À nous deux, nous nous débrouillerons, n'est-ce pas ? (Soudain Pitch fut pris d'un doute :) Bien sûr, Steve, tu tiens absolument à explorer cette île ? Tu es ici pour te reposer, mon petit, et je ne voudrais pas que tu t'embarques dans cette expédition pour me faire plaisir. »

Steve sourit :

« Pas du tout, Pitch. C'est aussi pour mon plaisir à moi que je vous accompagnerai. »

À peine venaient-ils de s'entendre sur le jour du départ, que l'auto enfila l'avenue qui conduisait à la vaste maison de Tom. Peu avant de l'atteindre, Pitch lui désigna un corral ; un cheval à la robe fauve, à la longue crinière, y galopait en rond.

« Regarde, Steve, dit Pitch, voilà un des chevaux de l'île Azul. »

Le dressage
d'un cheval sauvage

Debout, au centre du corral, se tenait un vrai géant à carrure d'athlète. D'une main, il brandissait une chambrière, et de l'autre, une guide attachée à la bride du cheval qui galopait autour de lui. La bête roulait des yeux furieux qui jamais ne se détachaient de l'homme. Celui-ci, de son côté, ne quittait pas le cheval du regard.

Pitch stoppa à hauteur du corral, à trente pas de la clôture sur laquelle deux hommes étaient juchés ; ceux-ci firent à Pitch un signe amical, mais l'homme au centre de la piste n'eut pas un regard pour les nouveaux venus.

« C'est bien de Tom ! » s'écria Pitch sans s'expliquer autrement, laissant à Steve le soin de faire lui-même ses propres réflexions.

Tom ! C'était donc là Tom Pitcher, ce colosse qui faisait bien trois hommes comme Pitch ! Comment croire que ces deux personnages étaient frères ?

Le claquement sec du fouet ramena l'attention de Steve sur la scène de dressage. Trottant de plus en plus vite autour du corral, le cheval terrifié ne cessait de s'ébrouer ; son regard allait de l'homme qui, debout au milieu de la piste, tournait lentement sur lui-même à la longue lanière étalée entre eux sur le sol, prête à jaillir sur lui.

Steve observa le large chanfrein de l'animal, ses oreilles presque aussi longues que celles d'un mulet, sa crinière ébouriffée, son petit corps nerveux, gris de poussière et de sueur mêlées. Il était fasciné par la ronde incessante et toujours plus rapide du cheval aiguillonné par la crainte de la chambrière qui claquait dès qu'il ralentissait le train.

Ce manège dura longtemps : on n'entendait que le martèlement des sabots sur la terre battue et, par intervalles, le claquement sec du fouet, dès que l'animal faisait mine de s'arrêter. La robe du cheval luisait de sueur, sa bride et les coins de sa bouche étaient blancs d'écume. Pourtant son regard voilé par la fatigue ne quittait pas l'homme campé au centre de la piste.

« Le dressage d'un cheval sauvage n'est pas beau à voir, mon petit, dit Pitch. Ce n'est pas un spectacle pour des garçons de ton âge. Allons-nous-en. »

Steve secoua la tête. Lui qui aimait tant les chevaux souffrait atrocement de voir le pauvre animal panteler, l'écume à la bouche, et parfois broncher d'épuisement. Alors l'implacable lanière claquait à ses oreilles ou cinglait sa croupe, et il repartait au galop, plus vite, toujours plus vite, autour de Tom qui pivotait au centre du corral, prêt à frapper de nouveau.

« Quand cette ronde infernale prendra-t-elle fin ? se demandait Steve. Où Tom veut-il en venir ? La bête n'est-elle donc pas à bout de forces et domptée ? »

Pas encore tout à fait, semblait-il, car l'homme accéléra le train à grand renfort de coups de fouet.

Incapable de soutenir cette vue plus longtemps, Steve rejoignit Pitch qui l'attendait au volant de son auto, prêt à démarrer. Soudain, au martèlement des sabots sur la piste du corral et aux claquements de fouet, succéda un étrange silence. Steve et Pitch se retournèrent. Sur un signe de Tom, l'un des hommes assis sur la clôture avait sauté à terre ; il plaça vivement une couverture sur le dos de l'animal, puis regagna son perchoir.

Pas à pas, Tom s'approcha du cheval ; celui-ci esquiva, suivant d'un œil inquiet les mouvements de l'homme au fouet. Tout à coup, avec une légèreté incroyable chez un semblable colosse, Tom s'élança sur le dos de l'animal ; Steve crut que celui-ci, recru de fatigue, était définitivement maté. Mais il se trompait. Le cheval fit un plongeon, jambes de devant tendues, se cabra, puis fit de brusques écarts à droite et à gauche, s'efforçant de secouer le cavalier qui le ceinturait de ses longues jambes et, du manche de son fouet, lui martelait les flancs. Finalement l'animal se roula sur le dos ; mais plus prompt que lui, Tom avait déjà sauté à terre ; il le corrigea sans pitié, puis l'enfourcha de nouveau.

« C'est assez », dit Steve.

Pitch mit le contact et l'auto démarra.

Ce soir-là, au souper, Steve demeura silencieux, les yeux fixés le plus souvent sur Tom. Celui-ci était assis au bout de la table, son corps puissant affaissé dans un lourd fauteuil d'acajou ; il était accoudé, pesant de tout son poids sur la table ; ses mains énormes faisaient paraître minuscule l'assiette posée devant lui, ses longs doigts aux bouts carrés se refermaient par moments comme s'il serrait encore la chambrière ou les guides du cheval.

Le mutisme du garçon, celui de Pitch aussi, leurs regards fixés sur lui, ou se dérobant comme s'ils craignaient que Tom ne lût la désapprobation et le reproche dans leurs yeux, finirent par l'importuner. Se renversant dans son fauteuil, il partit d'un grand éclat de rire.

« Quelle figure vous faites, tous les deux ! s'exclama-t-il. Pourquoi êtes-vous partis tout à l'heure, avant que j'en aie fini avec cette bête ? »

Il souriait à présent. Sa mâchoire inférieure carrée, ses lèvres minces qui découvraient à peine deux rangées de petites dents magnifiques, aussi dures et solides que l'homme lui-même, tout dans ce colosse respirait la force et la volonté.

Pitch et Steve le considéraient en silence.

« Allons ! Allons ! reprit-il, agacé par leur air de muette réprobation. Vous êtes trop sensibles. (Et s'adressant à Steve, il lui confia :) Je n'étais guère plus âgé que toi, mon garçon, quand j'ai maté mon premier cheval. On ne nous élevait pas dans du coton autrefois ; ou bien étais-je déjà endurci par les travaux de la terre ? expliqua-t-il en se tournant vers son frère.

« Quand Phil a quitté l'Angleterre pour entrer dans un collège aux États-Unis, je me suis engagé dans l'armée et j'ai fait mon temps aux Indes, dans la cavalerie. C'est là que j'ai appris à dresser les chevaux. Nous en recevions d'Australie en quantité ; comme ils venaient de la Nouvelle-Galles du Sud, nous les appelions des "gallois".

« Je vous assure que ce n'étaient pas des moutons. Ils étaient autrement gros et rétifs que ceux de l'île Azul. On dirait que ces bêtes dégénèrent à présent. Dans le dernier lot que nous avons ramené, il n'y en a guère que trois qui me donnent du fil à retordre. Il y a quinze ans, quand j'y suis allé pour la première fois, on en comptait dix et même plus ! »

Tom se tut un instant, puis reprit :

« Seul le dressage me passionne. Pour moi, c'est le plus beau des sports. L'argent qu'on peut tirer de ces chevaux ne m'intéresse pas ; pour ce qu'il en reste lorsque l'État a pris sa part ! Si je n'avais plus la distraction du dressage, je passerais l'affaire à un autre ! »

C'est alors que Pitch crut devoir confier à son frère leur projet d'excursion à l'île Azul. Eh oui ! il persistait à vouloir l'explorer en dépit des efforts de Tom pour l'en dissuader. Il demeurait convaincu que cet îlot avait joué un rôle important lors de la conquête du Nouveau Monde par les Espagnols. D'ailleurs, Steve s'intéressait, lui aussi, à l'histoire de la colonisation et désirait camper dans l'île jusqu'à la fin de ses vacances.

À la pensée de ces quinze jours passés à explorer l'île Azul, Tom éclata de nouveau ; on entendit son fauteuil gémir sous le poids de cette masse secouée par le rire.

« Deux semaines ! s'exclama-t-il. Phil, tu n'y penses pas ! Que diable ferez-vous tout ce temps-là sur une langue de sable balayée par le vent ? Vous n'y tiendrez pas deux jours !

— Je voudrais y faire des fouilles, plaida Pitch, doucement obstiné. Et Steve tient tellement à m'accompagner ! »

Tom interrogea Steve avec un sourire de ses yeux noirs.

« Y tiens-tu vraiment tant que ça, mon garçon ? demanda-t-il. Que penses-tu donc y trouver ?

— Je suis passionné d'archéologie », dit Steve.

Tom fit une grimace.

« Tu vois bien, lui dit Pitch.

— Non, répliqua Tom, je ne vois vraiment pas. Je ne vous vois pas rester deux semaines sur cet îlot maudit ! »

Repoussant son fauteuil, Tom se dressa, les dominant de toute sa taille.

« Nous y resterons pourtant », déclara Pitch calmement.

Tom abaissa vers lui un regard ironique.

« Comment peux-tu en être si sûr ? fit-il ; puis s'adressant à Steve : Phil m'a dit hier que, quand tu étais enfant, ton rêve était d'avoir un cheval à toi. Aimerais-tu encore autant en posséder un ? lui demanda-t-il.

— Bien sûr ! s'écria Steve. Pourquoi ?

— Eh bien, dit Tom, quand tu seras dans l'île Azul, choisis celui qui te plaira le plus. Si tu as le courage de rester deux semaines dans l'île, je t'en ferai cadeau ! »

Et il sortit en riant.

Dès qu'il fut parti, Pitch, sans plus tarder, se mit en devoir de dresser la liste de tout ce qu'il leur faudrait emporter dans leur expédition. Mais Steve ne l'écoutait pas. Il était tout entier au pari que Tom avait fait avant de les quitter : deux semaines de séjour dans l'île contre le meilleur des chevaux !

Chapitre 3

Le rêve de Steve

Le lendemain, au lever du soleil, Pitch et Steve quittèrent le port d'Antago. Ils eurent bientôt perdu la terre de vue. Pitch pilotait la chaloupe à moteur, le regard tendu vers la fine proue du bateau qui fendait la houle.

Modestement, il s'excusait de son inexpérience, mais Steve ne doutait pas que son ami ne les menât à bon port. D'ailleurs, le bateau de Tom, bien que déjà vieux, était en excellent état et tenait bien la mer. Il roulait un peu cependant, et Steve éprouva bientôt un léger malaise du côté de l'estomac. Mais il ne s'en inquiéta pas. Il était si heureux à la pensée de mettre bientôt le pied sur l'île Azul qu'il ne doutait pas de tenir bon jusqu'au terme du voyage.

Les heures s'écoulaient avec lenteur ; le soleil devint presque intolérable. Par bonheur, Pitch avait insisté pour qu'il emportât un casque colonial. Pendant un bon moment Steve l'observa ; les yeux mi-clos, Pitch paraissait plongé dans une profonde méditation. Steve se retourna et suivit du regard la danse du youyou dans le sillage du bateau. Encore une précaution de Pitch ! Qui sait ? ce youyou pourrait leur être précieux en cas de panne de moteur...

D'un coup d'œil, Steve refit une fois de plus l'inventaire de leur cargaison : deux grands sacs de camping bourrés de conserves et d'ustensiles de cuisine, un réchaud, une tente, plusieurs rouleaux de corde, un pic et une pioche.

Ces outils retinrent plus longuement l'attention de Steve ; il se demanda s'il oserait avouer à son ami qu'il se souciait médiocrement de creuser le sable de l'île Azul à la recherche d'objets enterrés par les Espagnols. Dès ce soir, il lui confierait la vérité ; il lui avouerait pourquoi il était venu à Antago et souhaitait explorer l'île dans tous ses recoins. Pitch était indulgent ; il comprendrait.

Steve avait gardé très net le souvenir de sa première vision du rocher aride et nu dont le *Horn* avait longé la base. Comment croire qu'un être vivant pût escalader ces falaises de pierre jaunâtre, taillées à pic ? Et pourtant il devait bien se trouver quelque part un passage conduisant à l'intérieur. Mais tous, le capitaine du *Horn,* Pitch et Tom lui-même, ne parlaient jamais que d'« une langue de sable » et de « récifs balayés par le vent ».

N'y tenant plus, Steve se hasarda à interrompre la méditation de son compagnon :

« Dites-moi, Pitch, je suis en train de me demander comment on pénètre jusqu'à l'intérieur de cette île.

— On n'y pénètre pas, répliqua Pitch. C'est impossible. (Et, observant la déception peinte sur les traits de Steve, il ajouta :) J'espère, mon petit, que tu n'avais pas d'illusion là-dessus.

— Mais si, Pitch. Je croyais que l'île Azul n'était pas seulement une langue de sable entourée de récifs.

Le *Horn* a longé la côte sur au moins neuf milles de long. Il doit y avoir là autre chose qu'une plaine côtière.

— Sans doute, répondit Pitch doucement. Mais le reste de l'île est une forteresse naturelle. Escalader ses murailles est absolument impossible, et jamais personne ne l'a tenté.

— N'y aurait-il pas moyen d'y parvenir en partant du canyon ? »

Pitch secoua la tête.

« Non, mon vieux, répéta-t-il. Je ne le pense pas. Le canyon aboutit à une falaise à pic de plus de cent mètres de haut. Tu la verras bientôt de tes yeux. »

« *Bientôt... Tu la verras bientôt de tes yeux... Bientôt.* »

Ces mots de son ami, Steve ne cessait de se les répéter tandis que le bateau filait vers l'île Azul. Ils lui revinrent à l'esprit quand surgit à l'horizon le sommet arrondi qui la dominait et que le soleil changeait en un dôme de cuivre et d'or.

L'air était limpide ; bientôt, Steve put distinguer les vagues qui se brisaient contre les falaises. Dans un vain effort pour escalader la muraille, elles lançaient de hautes gerbes d'écume, après quoi, épuisées, elles s'écroulaient avec fracas.

Vers l'extrémité orientale de l'île, la falaise ne tombait pas directement sur la mer, mais laissait libre une longue plage de sable où les flots, ne trouvant aucun obstacle, venaient mourir sur le rivage. Là, une étroite jetée s'avançait dans la mer. Pitch dirigea le canot de ce côté.

« *Bientôt... Tu la verras... Tu la verras de tes yeux... Bientôt.* »

Steve aida son ami à amarrer le bateau. Il chargea son sac sur le dos, prit la tente sous un bras et suivit

Pitch le long de la jetée jusqu'à la plage. Au-delà des dunes, sur leur gauche, les collines ondulaient jusqu'à un mille de distance, où la crête des falaises se dressait, abrupte. C'était là que débouchait le canyon.

Comme ils approchaient, Steve aperçut des chevaux. Il en compta onze, maigres, de petite taille et de poil rude : le troupeau se composait d'un étalon, qui cessa de brouter pour les regarder, et de cinq juments, chacune avec son jeune poulain, haut perché sur des jambes grêles.

« Évidemment, Tom a dû choisir les meilleurs lors de sa dernière visite, se dit Steve. Ce n'est pas avec de pareilles montures que les conquistadors auraient pu mener à bien leurs rudes et longues campagnes ! » Il se souvenait des photos de statues équestres de Pizarre et de Cortés qui illustraient ses livres de classe ; ces fiers conquérants y chevauchaient des bêtes magnifiques capables de soutenir d'épuisantes randonnées à travers des pays quasi vierges. Steve observait le troupeau d'un œil pensif. Soudain, l'étalon, inquiet, partit comme une flèche ; sa famille le suivit en ordre dispersé.

« N'est-il pas surprenant, Steve, que cette race de chevaux ait pu survivre ici ? » demanda Pitch.

Le jeune homme hocha la tête sans répondre. Il froissait entre ses doigts quelques brins d'herbe qu'il venait de cueillir. Quelle différence avec l'herbe tendre et fraîche d'Antago !

« Sans doute, poursuivit Pitch, ces bêtes doivent paître le plus souvent dans le canyon, à l'abri du soleil et du vent ; l'herbe y est aussi plus abondante. (Il considéra l'endroit où ils se trouvaient et décida :) C'est par ici que nous camperons, Steve. »

Ils approchaient du coin propice. À quelques centaines de pas, à droite et à gauche, les falaises leur cachaient la mer. Un peu plus loin, le canyon aboutissait à une haute muraille dont le pied était noyé dans l'ombre des parois de la gorge, tandis que le sommet se dorait au soleil couchant.

C'est là que le troupeau s'était réfugié ; les chevaux fixaient sur les deux hommes des yeux apeurés. Toutefois, Steve ne s'attarda pas plus longtemps à les regarder : il n'avait d'yeux que pour la muraille qui, à plus de cent mètres au-dessus d'eux, surplombait l'extrémité du canyon.

« Tu comprends à présent, dit Pitch, pourquoi on ne peut pas atteindre le centre de l'île à partir de la gorge. »

Le soir tombait. Le soleil allait sombrer derrière les falaises ; bientôt le froid et les ténèbres les envelopperaient. Il était temps de planter la tente.

Les campeurs s'installèrent au pied de la falaise et Pitch fit réchauffer leur souper.

« Nous aurions dû ramasser des débris d'épaves avant de quitter la grève, dit-il. Les nuits sont plus que fraîches ici, même l'été. Un bon feu n'aurait pas été de trop. (Et, tout gêné, il ajouta :) Je suis vraiment bien novice en fait de camping ! »

Steve ne répondit pas : il contemplait toujours les parois du canyon et n'avait pas entendu.

« Je crois que notre souper est prêt, dit Pitch en élevant la voix. Passe-moi ton assiette, petit. »

Cette fois, Steve entendit, et après avoir remercié son ami, il se mit à manger en silence. Soudain, il leva les yeux vers Pitch qui le dévisageait en souriant :

« Pardonnez-moi, Pitch, fit-il, confus de sa distraction. Vous disiez ?... (Et comme s'il venait seulement de comprendre ce que Pitch lui avait fait observer quelques instants plus tôt, il remarqua à son tour :)

Dommage que nous n'ayons pas fait provision de bois sec. Un bon feu aurait été bien agréable pour la veillée. »

Pitch se demanda ce qui pouvait absorber son ami à ce point.

« Nous devrions avoir pleine lune ce soir, dit-il pour rompre le silence que troublaient seuls les hennissements des chevaux répercutés par les parois de la gorge. Elle va se lever avant qu'il soit longtemps. »

Mais Steve ne parut pas l'avoir entendu. Sortant enfin de sa rêverie, il interrogea d'une voix hésitante :

« Dites-moi, Pitch, vous est-il jamais arrivé quelque chose que vous jureriez vous être déjà arrivé dans le passé ? (Steve cherchait ses mots.) Je veux dire une chose qui, en fait, ne pouvait avoir eu lieu auparavant ? »

Pitch le regarda d'un air perplexe :

« Je ne vois pas trop bien où tu veux en venir, petit. Veux-tu parler de quelque rêve que j'ai pu faire ?

— C'est peut-être ça..., dit Steve. Pourtant il s'agit de quelque chose de plus vrai et de plus précis qu'un rêve. »

Pitch s'efforçait vainement de sourire devant l'air sérieux et pensif de son ami.

« Il m'arrive parfois, expliqua-t-il, de faire des choses dont j'ai l'impression d'avoir rêvé auparavant. Je suppose qu'il s'agit là d'une association d'idées. Cependant cette sensation n'a jamais été vraiment nette chez moi.

— Pour moi, c'est tout autre chose, dit Steve lentement. Mon rêve est là... devant mes yeux... en ce moment. C'est tout ça », fit-il en parcourant le canyon du regard.

Pitch paraissait de plus en plus embarrassé.

« Je ne comprends vraiment pas, avoua-t-il. Je crois que tu ferais mieux de me raconter ton histoire en commençant par le commencement.

— Ça remonte à une dizaine d'années, fit Steve à mi-voix comme s'il s'était replongé dans sa rêverie, quand on a dû m'opérer pour un abcès dans l'oreille. C'est alors que j'ai demandé un poney et qu'on a promis de me le donner si j'étais bien sage et courageux. Je ne comprenais pas que papa ne m'achète pas un poney, puisqu'il était prêt à me donner une bicyclette. Mais je voulais absolument un poney ! C'est un peu plus tard que j'ai concouru afin d'en gagner un en recueillant des souscriptions pour ce nouveau magazine, et vous avez été l'un de mes bons clients, Pitch ! Mais, malgré tout, je n'ai pas gagné le poney. Alors j'ai continué à rêver de poneys et de chevaux ; j'en dessinais partout ; mes parents étaient tout aussi malheureux que moi, car s'ils ne pouvaient m'acheter un poney, ils pouvaient encore moins l'entretenir. »

Le regard de Steve croisa celui de Pitch.

« Je vous donne tous ces détails, poursuivit-il, parce qu'ils ont curieusement influé sur le cours de l'opération. Je me souviens qu'à l'arrivée du docteur, j'étais dans mon lit, hurlant : "Je veux un poney ! Je veux un poney !" Il a fait un signe de tête à papa, et papa m'a promis un poney si je me calmais et me laissais soigner bien sagement. Je me suis apaisé aussitôt à la pensée d'avoir enfin *mon* poney. Quelques instants plus tard, une infirmière a posé quelque chose sur mon visage. J'ai senti une odeur douceâtre écœurante. J'ai perdu connaissance, pas complètement toutefois, car je pensais a mon poney, et tout à coup, j'ai éprouvé une vive douleur comme celle que m'aurait causée une boule de feu en m'éclatant au visage.

« C'est à ce moment que, pour la première fois, Flamme m'est apparu. Ce nom m'est venu à l'esprit en même temps que j'ai vu le cheval : sa robe était de couleur feu, et il se détachait sur le ciel, en haut d'une falaise... (Steve se tut, jeta un coup d'œil derrière lui...) Celle-ci, ajouta-t-il d'une voix altérée. Au bas de la falaise s'allongeait un canyon et, au fond, on apercevait des collines. Tout comme ici, dit-il en désignant l'extrémité de la gorge. Cette vision était si nette qu'après l'opération j'étais convaincu que je possédais un cheval de couleur feu appelé Flamme. Les poneys ne m'intéressaient plus ; quand papa me rappela sa promesse et m'expliqua pourquoi il ne pouvait la tenir, je lui déclarai qu'il n'avait rien à regretter, que de toute façon je ne voulais plus de poney. Après quoi, durant des mois et des mois, quand je sortais de la maison pour aller jouer au parc, je galopais comme si je chevauchais un énorme étalon à la robe couleur de feu !

« En grandissant, poursuivit Steve, j'ai cessé de penser à Flamme, mais jamais je ne l'ai oublié tout à fait, non plus que le canyon et les falaises. Et puis, il y a quelques semaines, votre lettre est arrivée, celle avec une photo de ce que, pendant des années, j'avais cru être un pays imaginaire ! »

Steve avait haussé le ton ; il regardait avidement son ami.

« Comment expliquer que j'aie vu ce canyon il y a dix ans, Pitch, alors que je n'avais jamais entendu parler de l'île Azul avant de recevoir votre lettre ? Voyez-vous, c'est pour cela que j'ai désiré venir ici », avoua-t-il.

Pitch demeura silencieux un long moment après cette étrange confession. Il hésitait à décevoir son jeune ami, et ce fut avec une sorte de répugnance qu'il dit enfin :

« Mais tu avais déjà entendu parler de l'île Azul, mon garçon.

— Pas du tout, Pitch, dit Steve vivement. Comment l'aurais-je pu ? J'avais sept ans à peine lors de mon opération.

— On t'en avait parlé deux ans auparavant, objecta Pitch.

— Comment le savez-vous ? »

Steve semblait incrédule.

« C'est moi-même, mon petit, qui t'en ai parlé. (Pitch se sentait mal à l'aise en détruisant les illusions de son ami. Il expliqua :) J'étais venu voir ton père, tu es entré dans la pièce où nous nous trouvions ; à la main, tu tenais le dessin d'un poney que tu venais de terminer. Tu nous l'as montré ; alors je t'ai raconté une histoire de chevaux sauvages en m'inspirant des premières lettres que Tom m'avait envoyées d'Antago. Il y racontait ses visites à l'île Azul sur laquelle il donnait des détails précis, en particulier sur le canyon et les falaises. C'est ce qui m'a donné l'idée de t'amuser ce jour-là. Pour rendre plus vivant le récit de Tom, j'ai imaginé que, toi et moi, nous étions avec lui dans l'île Azul, poursuivant les chevaux jusqu'au fond de la gorge. Tu étais ravi. »

Pitch se tut soudain en lisant la déception dans les yeux de Steve.

« Pardonne-moi, mon vieux, dit-il, je suis vraiment désolé.

— Allons, allons, Pitch, ne dites pas de sottises, fit Steve. Je suppose qu'il ne devait y avoir rien de bien mystérieux dans tout ce que je vous ai raconté.

C'est mon imagination qui m'a trompé. Pour un peu, je me serais attendu à trouver Flamme ici même.

— Mais il faut avoir de l'imagination à ton âge, s'exclama Pitch, et ici plus que partout ailleurs ! L'île Azul est demeurée déserte depuis la fin de la domination espagnole. Pense aux vestiges et aux trésors historiques qui peuvent se trouver cachés dans ce canyon ! Dès demain nous l'explorerons à fond, et nous commencerons des fouilles ! »

Docilement, Steve approuva :

« C'est ça, Pitch. Dès demain ! »

Chapitre 4

L'étalon sauvage

Cette nuit-là, Steve demeura longtemps éveillé. Par l'interstice entre deux pans de la tente, il contemplait la pleine lune dont la lumière inondait le canyon.

« À quoi bon te leurrer plus longtemps ? se disait-il. Tu es ridicule. Qu'est-ce que tu crois donc trouver dans cette île ? Flamme ? Tu sais bien que ce cheval n'a jamais existé que dans ton imagination ! Mais il y a quand même des chevaux ici, pas de merveilleux pur-sang tels que Flamme, évidemment, mais des chevaux tout de même. Tom t'a promis de te donner celui que tu aurais choisi à condition de demeurer deux semaines dans l'île Azul. N'est-ce pas là une chance inespérée ? Dès demain, tu les examineras de plus près et tu choisiras le meilleur. D'ailleurs, Pitch a décidé d'entreprendre des fouilles sans tarder, et tu as promis de l'aider. Pitch l'historien, et Steve l'archéologue ! Quoi de mieux ? Allons, il est temps de dormir. La journée de demain sera rude... »

Steve dormait depuis quelque temps déjà, quand soudain il s'éveilla en sursaut. Il devait être tard : la lune était juste au-dessus de la tente. Qu'est-ce qui avait bien pu troubler son sommeil ? Il crut se rappeler un bruit étrange, pareil à un sifflement aigu. Un rêve, sans doute. Pitch, à son côté, dormait profondément. Autour d'eux, le calme et le silence. Oui, il avait dû rêver !

Il venait à peine de refermer les yeux quand il entendit l'étalon s'ébrouer ; les juments hennirent, inquiètes ; des sabots crissèrent sur les pierres.

Steve rouvrit les yeux. « Qu'est-ce qui peut alarmer ainsi les chevaux ? » se demanda-t-il. La présence d'un autre animal ? La lune peut-être ? On lui avait dit que, les nuits de pleine lune, les chevaux étaient nerveux. Il se retourna, aperçut le petit troupeau près de la muraille, de l'autre côté de la tente.

La silhouette des chevaux se détachait, très nette, au clair de lune ; tous étaient debout et paraissaient agités ; l'étalon s'efforçait de les maintenir près de lui. L'une des juments poussa un fort hennissement auquel les autres répondirent. Plusieurs tentèrent de s'enfuir, mais l'étalon les en empêcha. Il secoua la tête et, sans les quitter des yeux, hennit à plusieurs reprises. Steve comprit qu'il s'efforçait de les rassurer. Cependant les bêtes demeuraient inquiètes et s'agitaient de nouveau. Détournant la tête, l'étalon regarda vers le ciel et hennit plus fort qu'auparavant.

Alors, un long cri strident retentit dans le canyon. Répercuté d'une paroi à l'autre, il alla mourir sur la plaine, à l'extrémité de la gorge.

Jamais Steve n'avait entendu un cri semblable ; il haletait d'émotion. Se retournant de nouveau sur sa couverture, il leva les yeux et aperçut la falaise qui se dressait à pic au-dessus de sa tête.

Un cheval était là, immobile comme une statue ; sa masse énorme et sombre se découpait sur le ciel inondé de lune. Sa petite tête était dressée comme pour lancer un défi. Seule remuait sa longue crinière ondulant au vent de la nuit.

Steve cessa de respirer. Il ferma les yeux. « C'est une illusion, pensa-t-il, je rêve. Rien de tout cela n'est vrai. Je dors encore. Ce hennissement, ce cheval là-haut, encore un jeu de mon imagination ! Pitch est là, endormi à mon côté ; les chevaux dorment. Je n'ai rien entendu. Et puis, comment un cheval pourrait-il se trouver là-haut ? »

Il rouvrit les yeux et, de nouveau, regarda. Le cheval était encore là. Steve distinguait nettement sa crinière flottant sur son cou allongé, et son corps énorme comparé à sa tête fine.

« Pitch ! Pitch ! cria-t-il, bourrant de coups son compagnon endormi.

— Eh bien, Steve ! Qu'est-ce qui se passe ? Calme-toi ! » grogna Pitch.

« Si j'avais rêvé, se dit Steve, je n'aurais pas senti mes poings s'enfoncer dans le dos de Pitch ; Pitch ne se serait pas assis en sursaut ; il ne me secouerait pas comme il le fait ! »

Et s'adressant à son ami :

« Pitch, regardez là-haut... sur la falaise... Dites-moi ce que vous voyez... vite ! »

Il parlait par saccades, frémissant d'impatience.

Tandis que Pitch achevait de se réveiller et regardait vers l'endroit indiqué, Steve le considérait avidement. Durant quelques secondes qui lui parurent interminables, le visage de Pitch demeura impassible. Puis ses yeux s'écarquillèrent, sa bouche se crispa nerveusement.

« Je vois un cheval ! s'écria-t-il. Un cheval là-haut ! C'est incroyable ! »

Steve ferma les yeux, les rouvrit, et regarda vers la crête de la falaise : l'animal avait disparu ; on ne voyait plus que le rebord de la haute muraille. Les deux campeurs se regardèrent.

« Pas de doute, Pitch, fit Steve ; comme moi, vous avez vu un cheval là-haut ! »

Pitch hocha la tête et parla si bas que Steve put à peine l'entendre :

« J'ai vu un cheval, j'en suis certain, dit-il... Mais je n'en crois pas mes yeux ! »

Steve, lui aussi, avait grand-peine à croire ce qu'il aurait admis sans hésiter et avec joie quelques heures auparavant. Mais c'était avant les explications de Pitch, avant de savoir que, dès son enfance, lui, Steve, avait connu l'existence de l'île Azul et du canyon mystérieux.

Les deux amis tentèrent en vain de se rendormir ; tantôt l'un, tantôt l'autre se dressait à demi et levait les yeux vers le haut de la falaise. Mais celle-ci demeura déserte.

Aux premières lueurs de l'aube, Steve, n'y tenant plus, appela doucement :

« Pitch !

— Oui, Steve.

— Je n'ai pas rêvé, hein ? Vous l'avez bien vu comme moi ?

— Oui, Steve. Pas de doute. Nous ne pouvons pas nous être trompés tous les deux à la fois.

— Non, dit le jeune homme, ce n'est pas possible. C'était bien un cheval... une bête superbe. »

Steve n'alla pas jusqu'à l'appeler Flamme. Il ignorait de quelle couleur était sa robe. Il s'en souciait peu d'ailleurs. L'important était que l'animal en question existait, que c'était bel et bien un énorme étalon en chair et en os.

« Sans aucun doute, approuva Pitch. Mais comment a-t-il pu grimper là-haut ? Ne faut-il pas en déduire qu'au-delà du canyon et de la plaine, il y a toute une partie de l'île plus hospitalière que celle où nous campons ? Sinon, d'où ce cheval pourrait-il venir ? »

Dès l'aurore, après avoir déjeuné à la hâte sans échanger un mot, Pitch et Steve se dirigèrent d'un commun accord vers l'extrémité de la gorge. Arrivés là, ils suivirent les falaises à pas lents, les explorant du regard dans l'espoir de découvrir quelque voie d'accès vers le sommet. Ils revinrent à leur point de départ fort désappointés. Il fallait se rendre à l'évidence ; premièrement, il était impossible à un être humain, et plus encore à un cheval, d'atteindre le haut des parois du canyon en partant de la gorge ; en second lieu, toute une partie de l'île Azul devait être inconnue des gens d'Antago et avait pu servir, quatre siècles auparavant, de base aux conquistadors.

« Et, observa Pitch non sans humour, qu'on ne vienne pas me raconter que c'est aussi la Chambre de commerce d'Antago qui a fait hisser là-haut l'étalon de cette nuit !

— Très juste, Pitch, dit Steve en éclatant de rire ; et maintenant il faut trouver un moyen d'atteindre l'intérieur de l'île. »

Pitch hocha pensivement la tête.

« Je donnerais bien cinq années de ma vie pour y parvenir, Steve, déclara-t-il. Mais je ne vois vraiment pas comment y arriver. De toute manière, nous venons de le voir, ce n'est sûrement pas en partant du canyon.

— Sans aucun doute, s'exclama Steve. Mais par mer ? Suivons la côte dans notre bateau et cherchons un endroit où tenter l'escalade.

— Je doute qu'on puisse naviguer assez près du

rivage pour cela, dit Pitch. Les récifs nous en empê-
cheront. »

Steve insista :

« On pourrait quand même essayer, puisqu'il n'y
a pas d'autre moyen. À moins, ajouta-t-il, que vous
ne vouliez passer deux semaines au fond de cette
gorge.

— Non certes ! répliqua vivement Pitch. Tu as raison, Steve, il faut faire l'impossible pour atteindre
l'intérieur en partant d'un autre point de la côte. »

Peu de temps après, ils reprenaient la mer ; dure-
ment secoués par le ressac, ils filaient au plus près
des récifs. Ils firent quelques milles, puis Pitch
déclara :

« Je crains bien, Steve, que nous ne puissions
approcher sans danger du pied de la falaise. Inutile
de persister. »

Steve, cependant, n'avait pas cessé d'observer la
barrière de récifs qui interdisait l'approche de la côte.
Comme fasciné, il suivait des yeux le va-et-vient des
vagues. Soudain, à quelques mètres du bas de la
falaise, il distingua, à travers les embruns et l'écume,
un rocher sombre et verdâtre qui pointait hors de l'eau.

« Pitch, dit-il, j'aperçois quelque chose là, tout
près ; virez de ce côté. »

Prudemment, le pilote vira de bord sans perdre de
vue les brisants au-devant de la proue.

« Je ne devrais pas le faire, Steve, fit-il gravement.
Il y a trop de rochers à fleur d'eau. »

Et il marmonna quelque chose à propos de son
ignorance de l'endroit, et de la navigation côtière en
général.

Toutefois le bateau approchait de la côte. Pitch le
guidait entre les récifs avec un sang-froid imperturba-
bable.

« Qu'est-ce que tu regardes si attentivement ? » demanda-t-il à son compagnon.

Avant de répondre, celui-ci attendit qu'une énorme vague qu'il voyait se ruer sur le rocher se fût brisée contre lui. Le roc reparut bientôt sous l'eau écumante qui ruisselait tout autour. Steve s'écria :

« Regardez, Pitch ! Derrière ce gros rocher, il y en a un autre qui s'étend jusqu'au pied de la falaise ! »

Une autre lame vint s'écraser sur le roc. Cette fois, Steve observa qu'après s'être brisé, le flot poursuivait sa route jusqu'à la falaise, puis refluait vers les récifs. Entre les deux rochers, il y avait un étroit chenal d'eau tourbillonnante, mais navigable.

« Qu'est-ce que tu regardes encore, Steve ? demanda Pitch impatient, tandis qu'il reprenait le large. Tu vois bien, on ne peut approcher davantage. Il y a trop de risques.

— Pitch, s'exclama Steve, je crois que nous pourrions entrer sans danger par ici avec le youyou : la violence des vagues est tellement amortie par le gros rocher qu'arrivées au pied de la falaise elles ont perdu la moitié de leur force ; alors elles refluent à la rencontre des suivantes. Voyez, la mer est presque plate près du petit rocher. On pourrait y arriver avec le youyou et l'y abriter. De là on verrait la falaise d'assez près pour découvrir quelque moyen de l'escalader. De toute façon, nous aurions le youyou à notre portée pour regagner le bateau en cas d'échec. »

Mais Pitch était inquiet.

« Ça me paraît trop risqué, dit-il.

— Mais alors, Pitch, qu'allons-nous faire ?

— Je ne sais pas, Steve... peut-être trouverons-nous plus loin un endroit moins dangereux. Il vaut mieux essayer de faire le tour de l'île.

— O.K., mais je doute que nous trouvions mieux ailleurs », répondit Steve résigné.

Le bateau s'éloigna du rivage. Mais le garçon continuait de suivre des yeux les vagues qui se brisaient sur les rochers.

Quand le bateau fut assez loin des récifs, Pitch rompit le silence :

« Nous allons contourner l'île, Steve ; et, si nous ne découvrons pas d'autre voie d'accès, nous reviendrons chercher le youyou comme tu l'as proposé. »

Ils avaient à peine doublé la pointe de l'île qu'un vent violent leur fouetta le visage. Secoué par la houle, le canot se mit à danser de manière inquiétante.

« C'est encore pis de ce côté, dit Steve. Nous n'aurons pas la moindre chance d'approcher la falaise. »

Pitch hocha la tête d'un air sombre.

« Tu as raison, mon vieux, dit-il. Mieux vaut retourner.

— Au youyou ?

— Oui, retournons au youyou. »

Chapitre 5

Départ
pour l'aventure

Deux heures plus tard, les explorateurs, ayant amarré leur bateau à la petite jetée, retournaient dans le youyou au gros rocher moussu. Leurs sacs, plusieurs rouleaux de corde, le pic et la pelle encombraient le fond de la frêle embarcation qui voguait légèrement sur les lames.

« Peut-être avons-nous tort d'emporter tout ça ? dit Pitch tandis que, assis à côté de Steve, il ramait vigoureusement avec lui. Même si nous parvenons jusqu'au rivage, à quoi cela nous servira-t-il si nous ne découvrons pas un moyen d'escalader la falaise ?

— Mais si nous le trouvons, répliqua Steve, nous serons bien contents d'avoir notre équipement sous la main ; nous n'aurions peut-être pas le courage de retourner le chercher au camp. »

Tandis qu'ils discutaient ainsi, le youyou filait bon train, tombant dans un creux, puis s'élevant sur le dos de la lame suivante. À mesure qu'ils approchaient du gros rocher, les rameurs redoublaient de prudence.

« Attention, maintenant, Steve ! » dit Pitch.

L'instant d'après, ils cessèrent de ramer et plongèrent leurs avirons dans l'eau afin de diriger le bateau et de le maintenir dans un creux ; à ce moment-là, un nouveau bond sur la crête d'une lame les eût entraînés trop loin sur leur gauche et projetés contre le rocher, ou trop à droite au pied des falaises. Il fallait amener le youyou à l'étroit chenal abrité de la houle, manœuvre qui exigeait sang-froid et précision.

Les deux amis parvinrent enfin à abriter leur embarcation derrière le plus gros des rochers.

« Vite, Steve ! » cria Pitch, tandis que, de son aviron tenu droit dans l'eau, il immobilisait le youyou.

Il sauta à terre et tira le bateau à lui.

Steve bondit à son tour, ses pieds glissant sur la roche moussue et gluante.

Après avoir mis leur bateau en sécurité, les deux amis, épuisés, s'assirent le dos contre le flanc du youyou et demeurèrent un moment silencieux, prêtant l'oreille au sourd grondement du ressac. Pitch semblait inquiet.

« Et maintenant, Steve, crois-tu que nous pourrons escalader la falaise plus aisément que du fond du canyon ?

— Il me semble que de ce côté la paroi est moins lisse et moins abrupte. Peut-être que, lorsque nous serons plus près, nous finirons par découvrir des prises. »

Ils attendirent que le haut-fond entre les rocs eût reparu. Alors, prenant les devants, Steve s'avança avec précaution sur les mains et les genoux parmi les algues gluantes. Les écartant d'une main, il découvrit une grossière entaille, puis une autre quelques pas plus loin, puis une autre encore à la même distance.

« On dirait des marches ! s'écria-t-il, en se retournant vers Pitch. Croyez-vous que la mer ait pu les creuser ?

— Peut-être, dit Pitch après avoir examiné ces degrés de plus près, bien que ça me paraisse un peu trop régulier pour un escalier naturel. On dirait qu'il se prolonge jusqu'au bas de la falaise.

— Voulez-vous que nous essayions de grimper jusque-là ? » demanda Steve.

Pitch hésitait.

« Soit », dit-il enfin.

Ils attendirent qu'une énorme vague, qui venait de s'abattre sur le rocher, eût achevé de refluer, laissant à nu le bas des marches ; puis Steve s'avança à quatre pattes, suivi de près par son compagnon. Il s'arrêta un moment ; derrière lui, une nouvelle vague tonnait contre le gros rocher. Dans quelques secondes, la mer balaierait l'endroit où ils se trouvaient. Devant lui, à un mètre environ de hauteur, une étroite corniche était taillée dans la muraille. Trébuchant et glissant, les deux hommes parvinrent jusqu'à la falaise et, lestement, grimpèrent sur l'étroite saillie.

Adossés à la muraille, ils reprirent leur souffle, fascinés par le va-et-vient incessant des vagues.

« On pourrait être plus mal qu'ici, dit Steve d'un ton encourageant.

— Oui, sans doute. »

La voix de Pitch manquait d'enthousiasme. Il tourna la tête de côté, contempla un moment la falaise et dit :

« Ne nous attardons pas ici, Steve ; voyons tout de suite où mène cette corniche. Si elle ne permet pas de monter là-haut, nous n'insisterons pas et regagnerons notre camp au plus vite. »

Lentement, en progressant le dos à la falaise, ils

entreprirent de suivre l'étroit passage ; au bout de trente pas, la corniche s'arrêtait brusquement devant une crevasse aux parois presque verticales.

Ils demeurèrent là, immobiles et muets, les yeux levés, examinant les parois de la crevasse qui, à cet endroit, était large de cinquante centimètres. Elles se dressaient droites et lisses, apparemment, jusqu'à une quinzaine de mètres au-dessus de leur tête.

« Cette fois, c'est la fin, murmura Pitch découragé. Je ne vois pas comment aller plus loin. »

Pourtant Steve ne pouvait souffrir l'idée d'abandonner la partie : en abordant à cet endroit de la côte, il était convaincu que nul autre ne se prêterait mieux à leur escalade. Mais Pitch avait raison : pas moyen d'aller plus loin ; il fallait donc grimper plus haut.

Tandis que Pitch retournait sur la corniche, Steve examina de nouveau les parois de la crevasse ; du bout de son soulier, il repoussa des éboulis qui masquaient une encoche taillée dans une des parois. Elle était presque polie comme par un long usage. Cinquante centimètres plus haut, une autre entaille. Levant la tête, il lui sembla en apercevoir d'autres, aussi effacées que les premières, mais disposées à intervalles réguliers. Impossible, d'où il était, de dire si ces sortes de marches existaient jusqu'à la crête.

Steve se retourna, très excité.

« Pitch ! cria-t-il. Regardez ! Les marches reparaissent ici ! »

Pitch approcha, se pencha près de Steve et, à son tour, examina les premières entailles.

« Elles ressemblent étonnamment à celles du bas, dit-il. Mais pourquoi aurait-on... ?

— Pourquoi ? »

Steve s'adossa à la muraille, s'éleva jusqu'à la première entaille et demeura là, arc-bouté entre les deux parois de la crevasse.

« Tu crois ?... » fit Pitch.

Sans dire un mot, Steve leva un pied, puis l'autre, jusqu'à la prise suivante, et se hissa, toujours adossé à la paroi opposée. Pitch le contemplait, bouche bée.

« Et tu vas redescendre de la même façon ? demanda-t-il.

— Bien sûr !... (Avec prudence, Steve se laissa glisser jusqu'à la corniche.) Nous pouvons grimper jusqu'à la crête pourvu que nous trouvions des prises, dit-il, et je suis sûr qu'il y en a. Aucun doute : ces entailles ont été creusées pour permettre d'escalader la falaise à partir de cette corniche. Venez, Pitch, ajouta-t-il, impatient. Vous pourrez très bien grimper tout comme moi. »

Steve retourna à la crevasse et, lentement, se remit à grimper entre ses parois. Pitch le regarda un moment, puis, se rendant compte que Steve était bien résolu à poursuivre son ascension, il se résigna à le suivre. L'entreprise lui apparut bientôt moins redoutable qu'il ne l'avait craint. En dépit de ses jambes plus courtes que celles de Steve, il parvint à progresser comme lui, le dos accoté à une paroi de la crevasse en s'aidant des encoches taillées dans l'autre. Il rejoignit bientôt son compagnon qui devait trouver et dégager chacune des prises avant de s'élever plus haut.

Quand il fut presque au sommet de la crevasse, Steve aperçut une large plate-forme. Il se hissa jusque-là, puis aida son ami à y grimper à son tour.

Tandis qu'ils reprenaient haleine, ils regardaient à leurs pieds la falaise qui tombait à pic dans la mer, et au-dessus d'eux, un autre mur de calcaire ocre, lisse comme la main. Déjà Pitch hochait la tête d'un air soucieux, quand il avisa au centre de la plate-forme des pierres blanches aux arêtes étrangement régulières. D'un bond il se précipita.

« Viens donc voir, Steve », cria-t-il.

Quand Steve l'eut rejoint, Pitch était couché au bord d'un trou noir et profond. L'entrée pouvait mesurer un peu plus d'un mètre de côté ; des blocs équarris en marquaient les angles.

« Ce sont des hommes qui ont creusé ce puits, dit Steve en s'efforçant de percer du regard l'obscurité du trou. Qu'est-ce que ça peut bien être ? Où conduit-il ? »

Pendant ce temps, Pitch promenait ses mains sur les blocs. Il se mit à les cogner légèrement avec son couteau de poche.

« Mais, Steve, ceci n'est pas de la pierre ! s'exclama-t-il. C'est un genre de mortier. Vois donc comme il s'effrite au moindre choc. Je jurerais qu'il date de plusieurs siècles !

— À quoi donc pouvait bien servir ce trou ?

— Je n'en sais rien ; peut-être une cheminée d'aération ?...

— Qui aboutirait à des galeries souterraines ? suggéra Steve. Des galeries conduisant au centre de l'île ?...

— Ça m'a l'air vraisemblable, dit Pitch. J'ai l'impression que nous venons enfin de tomber sur quelque chose d'intéressant.

— Quelle peut être la profondeur de ce puits, Pitch ? »

Pitch chercha des yeux une pierre pour la laisser tomber dans le trou ; mais le roc était parfaitement nu. De sa poche, il extirpa un morceau de craie.

« Voilà notre affaire, dit-il. J'ai dû l'emporter par

mégarde quand nous avons quitté la douane. (Se penchant au bord du puits, il ajouta :) Écoute bien, Steve ! » et il laissa tomber la craie.

Pitch compta tout bas ; au bout de trois secondes, on entendit le bruit mat de la craie frappant le fond du puits.

« Une quinzaine de mètres, dit Pitch.

— Notre corde serait donc assez longue...

— Tu veux dire : pour y descendre ? interrogea Pitch. Ne crois-tu pas que ce soit bien risqué ?

— Mais, Pitch, fit Steve suppliant, nous ne pouvons pas abandonner maintenant, après avoir pris tant de peine !... Voici que nous tenons peut-être une chance inespérée d'atteindre l'intérieur de l'île ! »

Pitch considéra le jeune homme d'un air pensif.

« Après tout, dit-il, si nous ne trouvons rien d'intéressant, nous pourrons toujours remonter à la surface...

— Bien sûr, fit Steve, mais il nous faudrait notre torche électrique. Le mieux est de retourner au youyou et de revenir ici avec notre équipement. Si nous trouvons un souterrain, nous en aurons besoin pour continuer nos recherches. D'ailleurs, il nous faut amarrer le youyou plus solidement. »

Avant de regagner leur bateau, les deux explorateurs jetèrent un dernier regard vers le fond du puits.

« Je crois, dit Steve tout joyeux, que nous avons trouvé ce que nous cherchions.

— Bien mieux que cela..., fit Pitch gravement. Bien mieux que cela !... »

Chapitre 6

Exploration souterraine

Le déjeuner expédié, Steve acheva de ranger les accessoires de camping dans son sac, pendant que Pitch retournait au bord du puits et tentait une fois encore d'étudier l'état de la paroi. Sur le sol, autour d'eux, ils avaient jeté, outre leurs sacs, les rouleaux de corde, plus le pic et la pelle que Pitch avait tenu à emporter.

Il leur avait fallu une bonne heure pour amener leur équipement depuis le youyou. Ç'avait été, tout d'abord, la lente et périlleuse descente entre les parois de la crevasse jusqu'à la corniche, puis la progression pénible sur les rochers glissants. Steve avait insisté pour accomplir seul les deux voyages entre la corniche et le youyou, et Pitch, sachant que son compagnon avait le pied plus sûr que lui, l'avait laissé faire. Au premier voyage, Steve n'avait rapporté qu'un des sacs mais, pour le second, il avait attaché les outils à l'une des cordes, et Pitch n'eut plus qu'à les haler sur les rochers.

D'un commun accord, ils avaient décidé de manger avant d'entreprendre quoi que ce soit, tous deux prétendant qu'ils étaient affamés. À la vérité, ils semblaient maintenant peu pressés de descendre dans le puits. Steve avait beau se dire qu'après l'ascension de la falaise l'exploration du puits ne devait pas être bien redoutable, l'obscurité et l'ignorance où ils étaient de ce qu'ils trouveraient au fond du trou l'inquiétaient passablement.

Enfin Pitch interrompit sa rêverie au bord du puits et retourna vers Steve. Assez médité. Il fallait se décider. Il s'éclaircit la voix et dit :

« Qu'en penses-tu, Steve ? Commencerons-nous par descendre notre équipement, ou descendrons-nous d'abord ?

— Descendons d'abord, et voyons ce qu'il y a au fond, dit Steve après un temps de réflexion. Inutile de descendre notre matériel si nous ne trouvons rien d'intéressant. »

Pitch approuva, prit une des cordes, et retourna au puits. Il fixa solidement une des extrémités de sa corde et lança le rouleau dans le trou. Un instant plus tard, ils entendirent la corde toucher le fond.

« Du moins nous savons qu'elle est assez longue, observa-t-il.

— Je vais descendre le premier, dit Steve tranquillement. Une fois en bas, je vous dirai s'il faut envoyer les sacs ou non. »

Et il tendit la main pour s'emparer de la torche de Pitch.

« Non, Steve, c'est à moi de descendre d'abord, dit Pitch d'un ton ferme.

— Mais il me sera plus facile... »

Déjà, Pitch avait saisi la corde et posé le pied sur le rebord du puits.

« Il faut un chef dans une expédition comme celle-ci, dit-il en affectant de plaisanter. Étant donné mon âge, je me nomme à ce poste. D'ailleurs, je suis sûr qu'il n'y a aucun danger ; nous en avons vu bien d'autres aujourd'hui. »

Tout en parlant, Pitch avait soigneusement fixé la torche sur sa poitrine. Il saisit la corde dans ses mains nerveuses et commença à se laisser glisser, les jambes écartées, les pieds cherchant appui sur les saillies de la paroi. Pendant ce temps, Steve suivait sa descente d'un regard anxieux. Bientôt la tache blanche que faisait le casque de Pitch disparut dans le noir.

Quelle idée de descendre à quinze mètres sous terre avec un casque colonial ! Steve ôta le sien et le jeta sur les sacs.

Pendant quelques instants, il entendit les chaussures de Pitch racler la paroi du puits. La corde était tendue ; puis le bruit diminua ; enfin, ce fut le silence et la corde se relâcha. Pitch devait avoir atteint le fond.

« Pitch ! Pitch ! appela Steve. Ça va ? Vous n'êtes pas blessé au moins ? »

Il y eut quelques secondes de silence ; enfin Steve entendit la voix de son ami.

« Ça va ! criait-il. Il y a une galerie... Je vais voir si on peut avancer ! »

Le reste de ses paroles se perdit dans le puits.

« Attendez-moi, Pitch ! hurla Steve. Attendez-moi ! »

Mais déjà le fond du trou était retombé dans le silence.

Penché au bord du puits, le cœur battant, la gorge sèche, Steve s'efforçait de percer les ténèbres. Si jamais il arrivait malheur à Pitch !... Un accident... Un malaise...

Après des minutes d'attente qui lui parurent des heures, il entendit une voix lointaine. Pitch semblait très excité :

« Descends vite, Steve ! J'ai trouvé quelque chose de vraiment intéressant. Du moins je le crois. »

Déjà Steve était suspendu à la corde, prêt à se laisser glisser, quand il avisa le matériel de camping.

« Qu'est-ce qu'on fait des sacs, Pitch ? Faut-il que je les envoie avant de descendre ? En aurons-nous besoin ?

— Oui, oui ! Nous aurons besoin de tout ! »

Steve eut tôt fait d'attacher les sacs avec la deuxième corde et de les faire passer à son compagnon. Allait-il envoyer aussi le pic et la pelle ? Pitch n'en aurait peut-être pas besoin ; et puis, ils avaient été si encombrants depuis le commencement de l'aventure ! S'il les laissait ? Cependant pris d'un remords il demanda :

« Et les outils, Pitch ? En aurons-nous besoin ?

— Bien sûr, répliqua Pitch. Envoie tout ! »

Le « chef » avait parlé ; Steve n'avait qu'à obéir. Pendant la descente, il sentit un fort courant d'air et frissonna. Levant les yeux, il jeta un dernier regard vers la lumière ; de gros nuages chassés par le vent cachaient le ciel. Enfin la lampe électrique de Pitch l'éclaira.

« Il y a longtemps que d'autres hommes sont venus ici, lui dit Pitch dès qu'il eut touché le fond. Regarde, Steve, ajouta-t-il en l'entraînant vers une galerie si basse qu'ils ne pouvaient s'y tenir debout. Cette galerie est en partie naturelle. Elle date peut-être de l'époque glaciaire ; plus tard, quelque séisme a pu en soulever le sol. Mais, poursuivit-il en promenant autour d'eux la lumière de sa lampe, les hommes ont complété l'œuvre de la nature ; remarque avec quelle netteté sont taillées cette voûte et ces parois. »

Steve suivit du regard le faisceau lumineux.

« Quels hommes ? demanda-t-il.

— Les Espagnols. Ils ont probablement commencé ce travail au XVIe siècle, et l'ont poursuivi pendant plus de cent cinquante ans... probablement jusque vers 1669.

— Comment le savez-vous, Pitch ? Qui vous dit que c'étaient les Espagnols ? »

Sans dire un mot, Pitch prit Steve par le bras et ils s'engagèrent dans la galerie. Elle s'élevait en pente douce et, comme la voûte demeurait presque horizontale, ils durent se baisser de plus en plus à mesure qu'ils avançaient. Steve, qui avait le sens de l'orientation, devina qu'ils se dirigeaient vers la mer et devaient se trouver juste au-dessous de la corniche. Ils atteignirent le fond de la galerie ; Pitch éteignit sa lampe et Steve vit, à quelques pas devant eux, trois minces filets de lumière qui filtraient à travers la paroi. Pitch se colla au mur pour permettre à Steve de se placer près de lui. Deux des fentes par où le jour pénétrait se trouvaient de chaque côté de la galerie ; la troisième était au fond. À l'intérieur, les fentes étaient larges de trente centimètres et profondes de soixante, mais elles se rétrécissaient régulièrement vers l'extérieur où leur ouverture se réduisait à cinq centimètres environ.

Par celle de droite, on apercevait la mer ; par celle de gauche, se voyait le rocher derrière lequel le youyou était amarré.

« Tu vois, Steve, dit Pitch. De cet endroit, un bon tireur pouvait à lui seul interdire l'escalade de la falaise par la corniche.

— Mais ce sont de vraies meurtrières ! s'exclama Steve.

— Exactement.

— C'est donc cela qui vous assure que les Espagnols utilisaient cette galerie ? Mais qui diable pouvait les attaquer de la mer ?

— Les pirates, pardi ! Souviens-toi qu'à cette époque les Espagnols avaient conquis une grande partie du Nouveau Monde, mais les boucaniers les harcelaient sans répit. Je t'ai raconté que les pirates avaient pris et pillé Antago en 1669. Il est vraisemblable que les Espagnols avaient aménagé ce refuge en prévision de cette attaque.

— Et vous pensez trouver des traces de leur occupation après tant d'années ? demanda Steve vivement intéressé.

— Sûrement ! fit Pitch d'un ton convaincu. Sûrement ! »

Et il entraîna Steve vers le bas de la galerie.

Arrivés au fond du puits, ils purent enfin se redresser tout à fait et respirer plus librement. Ils se reposèrent quelques instants, accotés à la paroi. Puis Pitch décida :

« Inutile de nous attarder davantage ici, Steve. Partons. »

Ils chargèrent leurs sacs sur le dos, et Pitch mit le deuxième rouleau de corde autour de son cou.

« Et les outils ? demanda Steve. Est-ce qu'on les emporte ? Ne pensez-vous pas que nous en aurons bien vite assez de coltiner nos sacs dans ces galeries ?

— Non, Steve, crois-moi : les outils peuvent nous rendre les plus grands services. (Et s'emparant de la pelle, Pitch ajouta :) Prends le pic sur ton épaule, mon garçon ! »

Après un dernier regard vers le petit carré de ciel gris tout en haut du puits, Steve suivit son compagnon le long d'une galerie. Celle-ci descendait insensiblement et paraissait interminable. Bien que plus élevée que la première galerie, où ils avaient dû ramper pour atteindre les meurtrières, la voûte n'était cependant pas assez haute pour qu'ils puissent marcher debout.

Tout à coup, Pitch s'arrêta net à un angle du passage souterrain.

« Encore une autre galerie, dit-il.

— Nous devrions continuer de descendre de ce côté, dit Steve. Cette seconde galerie mène probablement à un autre point de la côte.

— Sans doute, dit Pitch. Mais je pensais à notre retour au puits. Il faut nous assurer que nous retrouverons notre chemin sans peine. Si seulement nous avions quelque chose pour marquer des points de repère...

— La craie !... s'exclama Steve. Elle est restée là où vous l'avez laissée tomber.

— Tout à fait ce qu'il nous faut, dit Pitch.

— Je vais la chercher », dit Steve en se délestant vivement de sa charge.

Armé de la torche, il remonta la galerie. Quelques instants plus tard, Pitch vit le faisceau de la lampe éclairer le fond du puits.

« Je l'ai trouvée ! » cria Steve.

Il rejoignit Pitch, qui dessina sur la paroi une flèche dans le sens de la cheminée d'aération.

« Nous ne pourrons pas nous perdre, dit-il, si nous marquons ainsi d'une flèche chaque bifurcation. »

Ils reprirent leur marche ; de nouvelles galeries débouchaient à droite et à gauche de celle qu'ils suivaient.

« Un véritable labyrinthe ! dit Pitch. Sans les flèches, jamais nous ne retrouverions notre puits ! »

Tandis qu'à demi courbés ils continuaient de s'enfoncer sous terre, la fatigue de la marche incommode les obligeait à s'arrêter souvent. Steve éprouvait dans les jambes une douleur sourde ; son sac lui paraissait de plus en plus lourd et le poids du pic devint intolérable. Ils étaient si las qu'ils avaient à peine la force de parler. Ils s'assirent enfin pour se masser les jambes.

Tout en se massant les mollets, Steve respirait à fond. La fraîcheur et la pureté de l'air le surprirent. « Ce labyrinthe doit être aéré par d'autres cheminées, se dit-il. Et pourtant nous n'en avons pas vu depuis que nous avons quitté celle par où nous sommes descendus. Elles doivent se trouver très loin à l'intérieur de l'île... Nous voici dans de vraies catacombes... Et dire que nous cherchions un cheval !... Sans doute, lui murmura une voix intérieure, mais l'un ne va pas sans l'autre... Si, comme Pitch le suppose, ces galeries ont été creusées par les conquistadors, c'est à eux également qu'est due la présence de l'étalon sur la falaise. Seuls des hommes connaissant ce monde souterrain ont pu introduire des chevaux à l'intérieur de l'île Azul ! »

Quand ils furent reposés, Pitch et Steve reprirent leur exploration. Steve continuait de réfléchir. Un cheval a besoin d'herbe, se disait-il ; donc certaines de ces galeries devraient conduire à la surface. Or, celle qu'ils suivaient descendait toujours. Étaient-ils dans la bonne voie ? De tous ces passages, n'y en avait-il qu'un seul permettant de sortir du labyrinthe ? Combien de jours ne leur faudrait-il pas pour le découvrir ? Allaient-ils... ?

À ce moment, Steve heurta violemment le dos de Pitch qui venait de s'arrêter net.

« Qu'y a-t-il, Pitch ? » demanda-t-il d'une voix étouffée.

Sans dire un mot, Pitch dirigea sa lumière sur la

droite. Steve s'attendait à voir l'amorce d'une nouvelle galerie. Mais non, c'était une longue chambre rectangulaire dont la voûte s'élevait à deux mètres du sol.

Les deux amis goûtèrent enfin la joie de pouvoir se redresser tout à fait. Lentement, Pitch promena sa lumière sur les murs et la voûte de la salle. Au centre de celle-ci débouchait une cheminée d'aération. Pitch baissa sa lampe : devant eux ils virent une table longue et massive.

« Qu'est-ce qu'on voit à terre, derrière la table ? » murmura Steve, le cœur battant.

Pitch éclaira le sol : un énorme fauteuil y gisait, renversé. Juste au-dessus, gravé dans la muraille, ils distinguèrent un cartouche encadrant des armoiries et, au-dessous, une inscription.

D'un même élan, ils contournèrent la table. Pitch approcha sa lampe de la paroi. L'encadrement du cartouche et les armoiries étaient à demi effacés par les siècles, mais on distinguait encore un lion rampant tenant un oiseau dans ses pattes de devant.

« C'est un blason », murmura Pitch.

L'inscription était rédigée en espagnol ; seules les deux premières lignes étaient lisibles :

EN EL AÑO 1669
AQUÍ EL CAPITAN

Pitch traduisit, d'une voix que l'émotion faisait trembler :

« *En l'an 1669, ici le capitaine...*

« Tu vois, Steve, dit-il triomphant, j'avais raison ! C'est l'année même où les Espagnols furent chassés d'Antago par les pirates. Cette salle était sûrement l'une des casemates du fort où les Espagnols se réfugièrent après leur fuite ! »

Dans son émoi, Pitch avait braqué sa lumière sur la paroi opposée ; ils distinguèrent une autre ouverture.

« Steve ! Encore une chambre ! »

Vivement Pitch contourna la table et, oubliant sa fatigue dans la joie de la découverte, se précipita vers cette seconde issue. Steve s'élançait à sa suite, quand on entendit, répercuté par les échos des galeries, un bruit métallique effrayant, puis une chute, et tout sombra dans l'obscurité la plus complète.

Chapitre 7

Perdus !

Dès qu'il eut surmonté sa peur et retrouvé l'usage de la parole, Steve appela son ami :

« Pitch ! Où êtes-vous, Pitch ? Qu'est-il arrivé ? »

Trébuchant dans l'obscurité, il cherchait son compagnon. Peu à peu, à la lueur de la cheminée d'aération, il distingua par terre le corps de Pitch.

Encombré par son équipement, celui-ci avait du mal à se relever. Steve s'approcha de lui :

« Qu'avez-vous, Pitch ? Êtes-vous blessé ? »

On entendit un grognement de dépit.

« Quel idiot ! s'exclama Pitch. Mais la torche, Steve ? Où est-elle ? Est-elle cassée ? »

En se précipitant pour examiner la nouvelle salle, Pitch avait heurté violemment du pied la pelle qu'en entrant il avait posée contre la table. L'outil était tombé, entraînant la chute de Pitch, et celui-ci avait alors laissé choir la lampe. Qu'était-elle devenue ?

Promenant à tâtons leurs mains sur le sol, ils finirent par la trouver. Autant qu'ils purent s'en rendre compte, elle était en piteux état : la lentille, l'ampoule paraissaient brisées, et le boîtier quelque peu cabossé !

« Qui sait si elle n'est pas encore en état de fonctionner ? suggéra Steve qui voulait être encourageant. Nous devons avoir des piles de rechange. Essayons ! »

Pitch secoua la tête. Il était désespéré.

« Nous avons peut-être d'autres piles, murmura-t-il, mais pas d'ampoules et pas de réflecteur ! Faut-il que je sois stupide pour avoir oublié un réflecteur et des ampoules de rechange ! »

Steve retourna à l'endroit où ils avaient laissé leurs sacs.

« Comment prévoir un accident pareil ? dit-il en revenant près de son compagnon ; et il ajouta pour le réconforter : J'aurais dû penser à mettre dans mon sac une seconde lampe. Je suis aussi étourdi que vous.

— Nous voilà dans de beaux draps ! marmonna Pitch. Par bonheur, nous avons une bonne provision d'allumettes ; nous devrions regagner le puits sans trop de mal... à condition de les économiser.

— Regagner le puits ?... répéta Steve machinalement. Oui, naturellement..., soupira-t-il, résigné.

— Nous n'avons pas le choix, dit Pitch. On pourrait errer toute une vie dans ce dédale sans trouver une issue ! »

Steve demeura silencieux. Pitch se leva et chargea son sac sur le dos.

« Mieux vaut emporter nos sacs, dit-il, pour le cas... »

Il n'acheva pas mais Steve comprit très bien : *pour le cas où ils ne retrouveraient pas les flèches, pour le cas où ils s'égareraient !*

Déjà Pitch avait à la main une grosse boîte d'allumettes.

« Je suis certain que nous nous en tirerons sans

peine, affirma-t-il d'une voix mal assurée. Avec une allumette tous les cinquante pas, nous devons en avoir très suffisamment. Prêt, Steve ?

— O.K., Pitch », fit Steve.

Il sangla son sac et mit autour de son cou le rouleau de corde que son compagnon portait au moment de sa chute malencontreuse.

« Laissons les outils, cette fois, dit Pitch. Mais avant de partir, je voudrais tout de même jeter un coup d'œil à cette autre salle. »

Ils avancèrent à tâtons le long de la galerie.

« Attention ! » dit Pitch en frottant une allumette.

La flamme trembla un instant, puis éclaira la chambre jusqu'au fond. C'était une salle tout en longueur dont la voûte n'était guère plus haute que celle des galeries. Au mur du fond étaient scellés des anneaux de fer ; à chacun pendait une chaîne... une chaîne à laquelle tenaient encore des os humains. Adossés à la paroi, des squelettes étaient assis, grotesques. À la lumière tremblante, certains paraissaient remuer !

En proie à la panique, les deux explorateurs sortirent de la salle à tâtons et s'enfuirent, les jambes molles. Épuisés, ils s'affalèrent sur le sol et demeurèrent haletants dans les ténèbres.

Au bout de quelques instants, Pitch fit craquer une allumette ; sa lueur éclaira deux visages livides et tendus.

« Nous avons été vraiment stupides de prendre peur et de nous enfuir ainsi à l'aveuglette au risque de nous égarer ! s'écria Pitch, furieux. Assez reposés. Partons ! »

Remonter la galerie leur parut somme toute moins pénible que n'avait été la descente. À intervalles réguliers, Pitch éclairait ; pendant que brûlait l'allumette, les deux amis cherchaient hâtivement du regard, aussi loin que le permettait la lumière indécise, les endroits où pouvaient déboucher les galeries latérales ; puis, aussitôt que la flamme s'éteignait, ils repartaient.

Après une bonne demi-heure de marche, Pitch dit d'un ton où perçait l'anxiété :

« Nous avons dû nous tromper, Steve. Si nous étions dans la bonne voie, je suis sûr que nous aurions dû passer devant plusieurs galeries latérales. Je me rappelle en avoir marqué une quinze minutes environ avant d'atteindre la première chambre.

— En effet, dit Steve lentement. Je m'en souviens. Croyez-vous que, dans notre fuite, nous ayons pu prendre une des galeries latérales sans nous en apercevoir ? Nous avons bien dû faire une centaine de pas avant de faire craquer la première allumette ?

— Je dirais plutôt trois cents, répliqua Pitch.

— Alors, mieux vaudrait revenir en arrière, suggéra Steve.

— Peut-être, dit Pitch, sans plus essayer de cacher son inquiétude. Toi, Steve, tu vas suivre la paroi de droite en tâtonnant. Je ferai de même sur ma gauche. Ainsi, aucune galerie latérale ne pourra nous échapper. Quand l'un de nous en rencontrera une, nous nous arrêterons. »

Ils avançaient depuis une demi-heure quand la main de Steve rencontra le vide.

« Un moment, Pitch ! » s'exclama-t-il.

Pitch fit craquer une allumette. Ils étaient devant l'entrée d'une autre galerie.

« Celle-ci nous a échappé tout à l'heure, dit Pitch. (D'un œil avide ils cherchèrent au mur une flèche tracée à la craie. Rien !) Il est clair, poursuivit Pitch, que nous ne sommes venus ni par l'un ni par l'autre

de ces souterrains, sinon l'un d'eux serait marqué d'une flèche.

— Dans ce cas, lequel mène à la première salle ? » demanda Steve dont l'inquiétude ne cessait de grandir.

Pitch se tut. Il était aussi embarrassé que son jeune ami : les galeries qui se rejoignaient là en forme de V descendaient toutes les deux.

« Pour moi, l'une vaut l'autre, dit Steve d'un air sombre. À vous de choisir, Pitch.

— Ne t'inquiète pas, Steve, dit celui-ci, feignant une confiance qu'il était loin d'éprouver. Il nous reste encore beaucoup d'allumettes. Nous sortirons d'ici. J'en suis sûr. »

Pourtant, ils restaient là, indécis, ni l'un ni l'autre n'ayant le courage de choisir.

« Et si nous nous séparions, proposa Steve. Chacun de nous pourrait, de son côté, faire une centaine de pas, puis revenir ici. »

Mais Pitch ne partageait pas cet avis.

« Un parcours aussi bref serait inutile, dit-il. Nous devons nous trouver à plus d'une demi-heure de la première salle. Non ; il vaut mieux rester ensemble. Nous avons plus que jamais besoin l'un de l'autre à présent.

— Eh bien, prenons à droite », dit Steve.

Pitch approuva, et ils reprirent leur descente. Au bout d'un quart d'heure, la lumière d'une allumette leur révéla, plus loin sur leur droite, l'entrée d'une nouvelle galerie.

« Cette fois, c'est la fin de tout ! fit Pitch désespéré. Comment savoir où est la bonne direction ?

— Que faire ? interrogea Steve. Poursuivre sur la droite ? sur la gauche ? ou revenir en arrière ? »

Les deux amis demeurèrent un moment silencieux.

Finalement Pitch frotta une allumette. Sa lueur accusa la fatigue et l'angoisse peintes sur leurs visages. Comme ils paraissaient vieux et hagards ! Dès qu'ils se retrouvèrent dans les ténèbres, Pitch saisit le bras de son compagnon et l'entraîna dans le souterrain de droite.

Une heure durant, ils cheminèrent, prenant à droite chaque fois qu'ils rencontraient un nouveau passage. Ils marchaient courbés, à tâtons, sans répit, sans un mot. Qu'importait désormais la direction qu'ils prenaient ! Ils avaient abandonné tout espoir de retrouver jamais leur chemin. Pourtant, toutes les fois qu'ils éclairaient, ils continuaient à chercher des yeux les flèches tracées par Pitch à chaque croisée de galeries, mais sans espérer vraiment les découvrir.

Peu à peu, ils firent des pauses plus fréquentes pour ménager leurs forces. Ils frottèrent plus rarement leurs allumettes. Elles leur devenaient plus précieuses que jamais à présent, pas tellement pour la lumière que pour la chaleur qu'elles leur procuraient, une chaleur morale qui les pénétrait plus profondément à mesure que le temps passait. Chaque fois qu'ils s'éclairaient, ils se regardaient avidement comme s'ils ne s'étaient pas vus depuis longtemps. L'obscurité leur devenait plus intolérable. Leurs mains écorchées aux parois des galeries saignaient, mais ils ne s'en apercevaient pas. Ils ne sentaient pas plus leurs membres endoloris que s'ils avaient toujours marché, courbés en deux... toujours... Cette descente ne finirait-elle donc jamais ? Ne sortiraient-ils jamais de ce dédale ?

Après avoir cheminé longtemps encore, ils atteignirent un autre souterrain. Pitch se laissa glisser par terre.

« Je suis fourbu, Steve, murmura-t-il. Je voudrais me reposer un peu. »

Steve s'allongea près de lui ; il n'eut pas la force d'ôter son sac.

« C'est ça, dit-il. Reposons-nous. Et après nous casserons la croûte. Nous nous sentirons mieux ensuite... beaucoup mieux ! »

Il ferma les yeux et se représenta Pitch et lui faisant cuire leur repas, à combien de mètres sous terre ? Peut-être établiraient-ils un record ?

« LE MEILLEUR CASSE-CROÛTE DU MONDE À X MÈTRES SOUS TERRE !... » La belle manchette pour un article de journal ! Et quelle histoire magnifique à raconter aux copains quand il rentrerait chez lui ! Oui, il leur parlerait de ce hachis de bœuf aux haricots préparé sur leur réchaud Sterno... À l'idée du Sterno, Steve ouvrit les yeux.

« Pitch, demanda-t-il, combien de bouteilles avons-nous emportées pour le Sterno ?

— Sept ou huit, je pense, répondit Pitch d'une voix basse. (On l'entendit rire tout bas :) Et dire que je comptais sur du bois d'épaves pour faire cuire la plupart de nos repas, expliqua-t-il. C'est drôle, hein ? Pense à tout le bois d'épaves qu'on peut trouver dans ces souterrains !

— En tout cas, dit Steve, quand nos allumettes commenceront à s'épuiser, nous pourrons toujours nous éclairer avec le Sterno. Si nous l'avions fait plus tôt, nous ne nous serions peut-être pas égarés ! »

Mais Pitch ne l'écoutait pas ; il s'était profondément endormi ! Maintenant le silence du souterrain n'était plus troublé que par le murmure égal de sa respiration.

« Tant mieux, se dit Steve. Je vais tâcher d'en

faire autant. Nous avons terriblement besoin de sommeil tous les deux. »

Steve s'assoupit, mais sans perdre vraiment conscience. Dans le profond silence de la galerie, il lui sembla alors percevoir un bruit sourd et continu. Tout d'abord il n'y fit pas attention. La respiration de Pitch, sans doute ? Mais bientôt, mieux éveillé, il prêta l'oreille à cette rumeur persistante : elle venait, semblait-il, de la galerie qu'ils avaient remarquée sur leur droite avant de s'arrêter.

« Pitch ! »

Steve écouta encore : toujours le même murmure incessant.

« Pitch ! »

Était-il victime d'une illusion ? Il fallait que Pitch entendît cette rumeur !

« Pitch ! cria-t-il pour la troisième fois en secouant vigoureusement le dormeur. Écoutez donc, Pitch : entendez-vous ? »

Pitch se releva, tout étourdi de sommeil.

« Vous entendez, Pitch ? Vous entendez, n'est-ce pas ? »

Steve insistait, suppliait.

« Il me semble que j'entends quelque chose, dit Pitch lentement. Ou bien ce sont mes oreilles qui bourdonnent.

— Ça ressemble à un bourdonnement, Pitch ! Ne croyez-vous pas qu'on le distinguerait mieux si on descendait par cette galerie à droite ? »

Steve était hors de lui. Comme il aurait voulu voir Pitch, lire sur son visage, dans son regard, savoir si, lui aussi, entendait vraiment !

Après un silence qui lui parut interminable, Pitch murmura :

« Je l'entends à présent ! Oui, je l'entends ! On dirait... de l'eau... de l'eau qui heurte un obstacle !

— C'est ça ! s'écria Steve en se dressant. C'est un torrent ! »

Pitch se leva vivement et le suivit.

Tout à coup, Steve, qui courait presque, les mains tendues en avant, se heurta à un mur.

« Éclairez, Pitch ! Vite ! »

Pitch fit craquer une allumette et s'approcha de Steve. Devant eux la galerie, après un coude brusque, conduisait à quelques marches taillées dans le roc. Ils furent vite au haut, et, avant que la lumière s'éteignît, ils eurent le temps de voir que ce nouveau souterrain s'élevait en pente douce.

« Attention ! dit Pitch. Ne nous précipitons pas ! »

Mais Steve avançait aussi vite que le permettait l'obscurité, la tête et le dos courbés, tâtant les deux parois de la galerie de ses mains écorchées. La rumeur devenait de plus en plus forte. Il pressa le pas.

« Doucement, Steve ! Tu vas trop vite ! Attends que je t'éclaire ! » criait Pitch.

Une nouvelle allumette leur permit de voir que le souterrain continuait de monter. Au bout de quelques pas, Steve heurta de l'épaule une saillie si rudement qu'il perdit l'équilibre et s'affala aux pieds de son compagnon.

Fiévreusement, Pitch frotta une allumette et se pencha, inquiet. Mais déjà le jeune homme se relevait. L'inquiétude de Pitch fit place à la colère.

« Idiot ! cria-t-il. Ne t'ai-je pas prévenu ? On ne court pas ainsi dans le noir ! Tu devrais le savoir depuis que nous errons à travers ces maudits souterrains ! Laisse-moi passer. Dorénavant, j'irai en tête ! »

Heureusement, la voûte de la galerie commençait

à s'élever. Pour la première fois depuis qu'ils avaient quitté les salles, ils purent enfin se redresser.

À la lueur d'une allumette, ils virent, non loin devant eux, un ruisseau étroit et rapide qui traversait leur chemin et plongeait plus bas en grondant. Ils l'enjambèrent et bientôt se trouvèrent devant une haute troué naturelle creusée dans le roc.

« Qu'allons-nous faire à présent, Pitch ? Descendre ou remonter ce ruisseau ? » interrogea Steve.

Pitch se baissa et goûta l'eau.

« C'est de l'eau douce », dit-il.

Steve en but à son tour.

« Je pense que nous devrions descendre ce torrent, Pitch, dit-il. Il doit conduire hors du souterrain.

— D'accord ! »

Et, prudemment, éclairant leur chemin de temps à autre, ils reprirent leur marche en suivant le ruisseau. Tout à coup, Steve s'exclama :

« Je jurerais qu'il fait moins noir, Pitch !

— Oui, peut-être... », dit Pitch, peu convaincu.

La brève lueur d'une allumette leur révéla une courbe du torrent. Pitch hâta le pas. Soudain, il s'arrêta et empoigna le bras de son compagnon. On distinguait une pâle lumière à l'extrémité de la courbe. Les deux amis s'élancèrent en avant, et bientôt atteignirent une large percée par où entraient les rayons du soleil couchant.

Pitch et Steve s'arrêtèrent un long moment, muets d'émotion, puis ils poursuivirent leur marche sans hâte, comme pour jouir plus longtemps de leur bonheur. Enfin la lumière du monde des vivants, après tant d'heures dans les ténèbres et la peur de la mort !

Le grondement du ruisseau devenait de plus en plus fort, mais ils l'entendaient à peine, tant ils étaient absorbés dans la contemplation du ciel bleu sur lequel se découpait l'entrée du souterrain. Là, ils virent l'eau du torrent s'étaler en une nappe blanche et bondir de rocher en rocher jusqu'à un vaste étang à quelque soixante mètres plus bas. Devant eux, à perte de vue, une vallée s'allongeait entre de hautes murailles jaunes.

Pitch n'en croyait pas ses yeux.

« C'est une vallée perdue, un monde inexploré ! » murmura-t-il.

Mais Steve ne l'entendait pas. Son regard s'était arrêté sur des silhouettes qui, à gauche de l'étang, se déplaçaient lentement, par intervalles. Il les surveilla quelques minutes, puis soudain serra le bras de Pitch : au-dessous d'eux, un grand troupeau de chevaux paissait une herbe drue, d'un vert profond ; leurs longues queues tombaient jusqu'à terre ; par instants, leurs petites têtes se dressaient, humant le vent. À cette vue, Steve sentit le souffle lui manquer. Tout à coup il vit l'étalon géant de la falaise se détacher du troupeau et passer de l'ombre à la lumière. La tête fièrement dressée, il s'avançait vers l'étang. Dans la lumière du soir, sa robe soyeuse aux teintes chaudes paraissait rouge feu.

« *Flamme !* » s'exclama Steve d'une voix étouffée.

Chapitre 8

Combats d'étalons
sauvages

Sans faire un mouvement, sans échanger une parole, Pitch et Steve contemplèrent longtemps la scène qui s'offrait à leurs yeux. Steve ne pouvait détacher ses regards de l'étalon à la robe feu, dont le cou gracieux se penchait vers l'eau. Pitch se tourna vers le fond de la vallée tapissée d'un épais gazon couleur d'émeraude. Il la parcourut du regard aussi loin que portait sa vue, puis observa la plaine aux molles ondulations qui s'étendait jusqu'au pied des falaises. Là-bas l'herbe semblait plus haute ; on aurait dit de jeunes roseaux. Déjà l'ombre des falaises s'allongeait jusqu'au fond de la vallée, où elle devint d'un bleu presque vif. Pitch saisit le bras de Steve.

« Regarde ! s'exclama-t-il, la vallée Bleue !

— Voilà pourquoi les Espagnols ont appelé cet îlot l'*île Azul* », dit Steve en tournant de nouveau ses regards vers l'étalon.

Celui-ci, ayant achevé de boire, s'était redressé et, lentement, tournait la tête de côté et d'autre.

« Approchons, dit Steve. Je veux les voir de plus près. »

Ils descendirent avec précaution les degrés taillés grossièrement dans le roc. En passant, ils remarquèrent une vaste grotte. Pitch s'arrêta.

« Voilà juste ce qu'il nous faut pour camper, dit-il ; l'eau est toute proche et nous serons beaucoup mieux abrités ici que sous la tente. (Il rêva un instant, puis ajouta :) Quand je pense, Steve, que les derniers hommes qui ont habité cette grotte étaient les conquistadors !... »

Steve ne répondit pas : les conquistadors l'intéressaient moins que les bêtes qui paissaient non loin de là. Il se délesta cependant de son sac, mais ne suivit pas son compagnon à l'intérieur de la grotte. Il dévorait Flamme des yeux comme pour en graver à jamais l'image dans sa mémoire. Non que l'animal ne lui fût depuis longtemps familier. Maintes fois, dans ses rêves, il l'avait contemplé comme il le faisait à présent.

Immobile dans le soleil couchant, l'étalon veillait, tournant à peine la tête de temps à autre. On aurait dit une énorme statue de bronze. Steve n'en finissait pas de le détailler et d'admirer sa tête fine, ses yeux magnifiques au regard à la fois mobile et intense, ses oreilles petites, pointées en avant. L'animal portait haut la tête, accusant la courbe gracieuse de son encolure.

Soudain, l'étalon s'éloigna au trot souple de ses longues jambes, laissant flotter au vent sa longue queue et son épaisse crinière. Il fit un temps de galop, puis s'arrêta, l'oreille dressée, le regard dirigé vers l'ouest.

Steve regarda de ce côté, mais ne vit rien d'insolite. D'ailleurs les mouvements de la bête révélaient moins la crainte qu'un certain malaise.

Les quelque trente juments et leurs poulains aux

longues jambes fluettes continuaient de paître sans un regard pour leur chef. Ils n'étaient pas inquiets : un signal de l'étalon à l'approche du danger suffirait à leur faire abandonner leur pâturage. Mais quel danger pouvait bien menacer les chevaux dans ce paradis ? Et quel animal oserait affronter les terribles sabots de l'étalon ?

Perdu dans sa contemplation, Steve s'étonnait : quelle différence entre les bêtes qu'il avait sous les yeux et les petits chevaux nerveux du canyon, de l'autre côté des falaises !

Il en était là de ses réflexions lorsque Pitch vint le rejoindre.

« Regarde donc, Steve, dit-il. Regarde ce que je viens de trouver ! »

Il tenait à la main un éperon à grosse mollette aux pointes aiguës. Steve les tâta avec horreur en pensant à la cruauté de cavaliers assez barbares pour utiliser de pareils éperons avec des pur-sang arabes ! Mais Pitch contemplait sa trouvaille avec une sorte de respect.

« Rends-toi compte, Steve ; cet éperon est vieux de trois cents ans ! Déjà nous avons découvert quelques meubles anciens dans la chambre souterraine. Je suis sûr que nous trouverons d'autres vestiges de l'occupation espagnole ! »

Steve écoutait son ami d'une oreille distraite. Seule l'origine mystérieuse des chevaux de l'île Azul l'intéressait vraiment.

« Avez-vous remarqué, Pitch, dit-il, combien ces chevaux-ci ressemblent peu à ceux que votre frère ramène à Antago ?

— Sans doute, reconnut Pitch. C'est probablement que l'air et les pâturages sont bien meilleurs de ce côté que dans le canyon. Qu'en penses-tu ?

— Je ne le crois pas, dit Steve d'un ton décidé.

Les bêtes que nous voyons là-bas ont de la race. Je suis convaincu que les conquistadors n'ont amené ici que leurs plus beaux chevaux, et que les autres sont les descendants de bêtes de somme ou au mieux le produit de croisements.

— C'est possible. En tout cas je n'ai jamais vu de chevaux pareils, avoua Pitch ; et certainement jamais d'aussi beaux que cet étalon à la robe feu.

— Tous ont du sang arabe dans les veines, Pitch, dit Steve. Voyez comme leur tête est petite et leur museau allongé. C'est cette race de chevaux que possédaient les conquistadors. Peut-être même ceux-là sont-ils de sang plus pur, puisque leur isolement a empêché la race de s'abâtardir, et que seul l'étalon le plus beau et le plus vigoureux a pu survivre dans cette étroite vallée. Il suffit de regarder celui-ci pour voir qu'il est le père et le roi de tous ces poulains aux longues jambes fines qui gambadent autour des juments. Ils sont bien de sa race : un jour, le plus fort et le plus beau d'entre eux le remplacera à la tête du troupeau.

— Je ne connais pas grand-chose aux chevaux, dit Pitch. Pourtant je me demande comment cette race n'a pas dégénéré au cours des siècles.

— Je ne sais moi-même que ce que j'ai lu dans les livres, avoua Steve. Il est certain que personne n'a jamais vu un troupeau abandonné comme celui-ci durant des siècles dans une île inhabitée. Aussi avez-vous raison de vous étonner. Mais j'ai lu que des chevaux pur sang peuvent très bien se reproduire entre eux sans dommage pour la race. »

Pendant qu'ils bavardaient, Steve observait l'étalon à la robe feu. Celui-ci gardait la tête haut levée. Les naseaux frémissants, il humait la brise du soir. On aurait dit qu'il soupçonnait quelque danger ; pourtant il demeurait impassible et ne donnait pas l'alarme à ses dociles protégés.

Soudain, il se tourna vers l'est et renifla de nouveau. Steve regarda dans cette direction, mais la pente rocheuse où leur grotte était creusée leur cachait cette partie de la vallée. L'étalon gagna le milieu de la plaine ; il avançait d'un pas rapide, mais toujours sans frayeur apparente. Enfin il s'arrêta brusquement, les naseaux dilatés. Levant un peu plus la tête, il huma la brise de nouveau d'un air méfiant, puis, inquiet, tourna la tête du côté opposé.

« On dirait qu'il s'attend à quelque chose, dit Pitch la gorge un peu serrée.

— Quelque chose qui pourrait venir de l'est comme de l'ouest, précisa Steve. Il a senti quelque odeur apportée du haut de la vallée par le vent, mais je suis sûr qu'il a entendu un bruit venu d'en bas, car de ce côté-là les odeurs ne peuvent lui parvenir. Voyez ses oreilles, Pitch ; il vient de se tourner de nouveau dans le sens du vent. »

L'étalon demeura immobile, face à l'ouest. Il avait cessé de s'intéresser à ce qui avait attiré son attention du côté opposé. À présent, ses yeux lançaient des éclairs et fixaient un point minuscule, très loin au bas de la vallée. Soudain il aspira le vent à pleins naseaux, rabattit ses oreilles, s'ébroua, puis lança un hennissement aigu et prolongé.

Aussitôt, le troupeau cessa de paître. Des hennissements brefs et incessants troublèrent le silence ; d'un pas incertain, les jeunes poulains coururent vers leurs mères ; le troupeau tout entier se déplaça vers le milieu de la vallée. Avec de légers coups de leurs dents et de leurs pieds, les juments rassemblèrent leurs petits en un cercle autour duquel elles-mêmes s'alignèrent, garrot contre garrot, la tête dirigée vers les poulains, l'arrière-train tendu, prêtes à lancer de terribles ruades contre l'agresseur.

Seul, un peu à l'écart, l'étalon se tenait prêt à défendre sa famille. Il surveillait l'ennemi qui venait du bas de la vallée.

« Le voilà ! » s'écria Pitch tout à coup.

Un second étalon s'avançait, suivi de cinq ou six juments.

« Ils vont sûrement se battre ! Il ne peut y avoir qu'un seul chef dans cette vallée ! »

Instinctivement, Pitch étreignit le bras de Steve.

Laissant ses juments derrière lui, le rival approchait d'un pas allongé. Soudain, la vallée répercuta son hennissement de défi, aigu comme l'appel d'un clairon. Le nouveau venu était d'un noir d'ébène, de même taille et de lignes aussi parfaites que Flamme. Ses mouvements étaient aussi gracieux ; il avançait à longues foulées régulières, la tête et les oreilles pointées en avant.

« Quelle merveille ! s'exclama Pitch. Je le trouve aussi beau que Flamme. Ça va être une lutte à mort, Steve ! La survivance du plus apte ! Et nous allons assister à ce combat ! »

Mais Steve n'écoutait pas. Il était comme fasciné par l'étalon à la robe feu. Pitch pouvait se désintéresser de l'issue du combat, les adversaires paraissant d'un égal mérite ; mais pour Steve, le cheval à la robe feu, c'était Flamme, son cheval à lui ! Celui dont il avait rêvé si longtemps ! Il ne voulait plus le perdre à présent. Flamme devait triompher ! Si la lutte devait être mortelle, il fallait que Flamme tuât son agresseur !

L'étalon à la robe feu n'avait pas fait un pas vers son ennemi. Il demeurait là, tranquille et confiant ; le roi de la vallée ne daignait pas aller vers l'intrus qui prétendait le supplanter. Steve guettait Flamme, stupéfié de son sang-froid, mais inquiet de son apparente insouciance.

« Regarde donc, Steve... Ce cheval couleur feu n'en est pas à son premier combat. L'autre ne lui fait pas peur le moins du monde. Ton cheval a dû se battre plus d'une fois pour devenir le chef ; si l'étalon noir veut lui ravir ce titre, il faudra qu'il le tue. Regarde donc ! As-tu jamais vu un champion aussi certain de gagner un match que ce diable rouge ? »

Steve demeurait sourd. Il ne voyait que Flamme qui, là-bas, attendait ; il n'entendait que le martèlement régulier des sabots de l'étalon noir, un animal aussi beau, rapide et puissant que Flamme lui-même. Steve savait que bientôt l'un des adversaires serait abattu : le combat ne pouvait finir autrement puisqu'un seul étalon devait commander le troupeau. De tout son cœur, Steve espérait que Flamme serait victorieux.

Le bruit des sabots allait croissant, mais Flamme ne bougeait pas d'un pouce. Le challenger avançait sans précipitation, ralentissant le pas à mesure qu'il approchait, superbe et puissant. Steve fut pris d'une affreuse angoisse à la vue du danger qui menaçait son cheval.

Celui-ci, qui, à plusieurs reprises, avait regardé vers l'est comme si un autre péril le menaçait de ce côté, se retourna et, résolument, affronta son rival. Au cri strident de l'étalon noir, il répondit par un hennissement aigu, rabattit ses oreilles en arrière, puis, les pointant en avant, marcha au-devant de l'ennemi d'un pas lent mais ferme.

Dans le cirque de falaises, pareils à des fauves dans l'arène, les deux rivaux s'avancèrent à la rencontre l'un de l'autre ; ils traversèrent la prairie où s'allongeait l'ombre bleuâtre des crêtes ; ils allaient se disputer des sujets qui, indifférents à leur débat, se rangeraient docilement sous l'autorité du plus fort.

Les étalons prirent le trot et l'intervalle qui les séparait diminua à vue d'œil.

Ils n'étaient plus beaux à voir à présent. Répercutés par les hautes falaises, leurs cris affreux retentissaient dans le silence de la vallée solitaire.

Le duel parut interminable aux deux témoins. Également prompts et souples, les étalons esquivaient et attaquaient tour à tour. Chacun guettait la moindre faute de l'adversaire pour le mordre, se jeter sur lui de tout son poids, et lui marteler le poitrail et la tête de ses sabots de devant ou, par une brusque volte-face, lui lancer une ruade mortelle.

À maintes reprises, les combattants se ruèrent l'un sur l'autre, sans que ni l'un ni l'autre fît mine de battre en retraite. Leurs cris stridents déchiraient l'air ; la sueur et le sang ruisselaient sur leur robe.

Le combat était trop rapide et trop farouche pour durer longtemps.

« Ils vont se tuer l'un l'autre », balbutia Pitch.

Dressés sur leurs jambes de derrière, les étalons semblaient vouloir s'étouffer avec celles de devant. Steve comprit que la fin était proche.

Le dénouement se précipita dans un dernier et hideux corps à corps. Steve vit l'étalon noir s'abattre sur le cou de Flamme, la bouche grande ouverte. Celui-ci évita le coup d'une volte-face foudroyante et, de tout son poids, se jeta sur la croupe de son agresseur. L'étalon noir chancela et s'abattit. Avant qu'il ait eu le temps de se relever, Flamme le pilonna de ses sabots de devant tout en poussant un long cri strident.

Steve et Pitch, incapables de soutenir plus longtemps ce spectacle, se détournèrent, pâles et silencieux. Ils entendirent les derniers coups sourds des sabots de Flamme achevant le vaincu, et son cri de victoire pareil à un sifflement.

« C'est fini », dit Pitch, la gorge sèche.

Steve fit « oui » de la tête.

« J'espère bien ne plus jamais voir un autre combat de ce genre, ajouta Pitch. C'est trop affreux ! »

À ce moment un nouveau cri perçant retentit.

« Écoute ! s'écria Pitch. Est-ce encore lui qu'on entend ?

— Non, fit Steve, d'un air sombre. Son cri est tout différent. »

Flamme se tenait sur le lieu du combat près du corps sans vie de l'étalon noir. Lui-même était déchiré et sanglant. Il tournait la tête vers l'est. Steve regarda de ce côté et soudain il ferma les yeux, incapable de retenir ses larmes.

« Qu'as-tu donc, Steve ? demanda Pitch, inquiet. Après tout... »

Il n'eut pas le temps d'achever : à quelque distance de Flamme, il venait d'apercevoir un cheval monstrueux. Celui-ci s'était approché comme le soleil descendait derrière les falaises. Son énorme silhouette luisait faiblement dans l'ombre. Il était d'une laideur aussi grotesque que Flamme était beau. Sa grosse tête, son corps énorme, bas sur pattes, étaient noirs à l'exception de quelques taches d'un blanc terne. Sa crinière et sa queue étaient blanches.

Arrogant et farouche, il s'avançait vers Flamme avec, dans ses petits yeux, une lueur mauvaise. Ses lourdes oreilles étaient rabattues sur le haut du crâne ; il découvrait méchamment les dents. Il s'arrêta, les oreilles pointées en avant, et lança de nouveau un cri de défi.

Steve était comme fasciné par l'approche du nouveau drame qui allait se dérouler sous leurs yeux. Pitch se tourna vers lui et, observant le visage tendu de son compagnon, il se rappela ce que celui-ci lui disait quelques instants auparavant : « La consanguinité n'offre aucun inconvénient si les chevaux sont de vrais pur-sang et si le père et la mère sont exempts de tout vice et de toute tare ; mais dans le cas contraire, les défauts reparaissent aggravés chez le poulain. » Et Steve avait ajouté : « Ça n'a pas été le cas dans l'île Azul. »

« En fait, se dit Pitch, le cas s'est produit et il en est résulté ce monstre. Peut-être s'est-il même produit plusieurs fois depuis trois siècles, mais les chevaux vicieux ont dû être supprimés. Cette fois le cas est peut-être différent... très différent. »

« Pitch ! s'exclama Steve tout à coup, pourquoi faut-il que cette brute survienne à présent ? Flamme n'est pas en état de soutenir un deuxième combat. Ce cheval pie va sûrement le tuer ! »

Le cheval pie approchait au galop à présent. Le sol tremblait sous lui. D'un œil avide, Steve suivait chaque mouvement de Flamme. Sa robe feu, à laquelle la sueur et le sang donnaient une teinte plus sombre, faisait pitié. D'un pas incertain, il s'éloigna de la carcasse qui gisait à ses pieds. Il poussa un long hennissement et se rua à l'assaut, ses grands yeux étincelants de colère. On entendit de nouveau le sourd martèlement des sabots sur le gazon et l'on vit voler les mottes de terre. Flamme s'avançait à grandes foulées prudentes ; quant au cheval pie, il fonçait lourdement, sûr de vaincre. Tous deux couraient la tête haute : celle de Flamme, petite, nerveuse, intelligente, contrastait avec celle de l'assaillant, énorme et d'une laideur grotesque.

D'un œil morne, Steve observait son cheval. Son amour pour Flamme n'était pas seul en cause. Il se disait que, si l'étalon à la robe feu l'emportait, l'île Azul serait peuplée dans les années à venir d'admirables créatures comme lui. Si le cheval pie était vainqueur, la race des pur-sang s'éteindrait, et l'île ne porterait bientôt plus que d'affreuses brutes semblables à lui.

Sans ralentir le train, le cheval pie se lança pesamment sur Flamme, qui se dressa face à lui en poussant un hennissement aigu. On entendit le choc brutal des deux corps et, dominant tout, leurs cris affreux.

Prestement, Flamme fit un écart de côté ; il semblait avoir bien mesuré la force de son monstrueux adversaire. Tantôt il s'élançait sur lui, découvrant les dents pour le mordre, prêt à le frapper de ses sabots, puis il se dérobait sans jamais laisser à son rival le temps de mettre à profit la supériorité que lui donnait son poids.

Le combat se prolongeait. Les combattants redoublaient d'efforts pour se mordre ou s'assommer. Bientôt Flamme réagit moins promptement. Steve aurait voulu hurler : « Attention, Flamme ! Il va t'abattre ! » Mais aucun son ne sortait de sa bouche.

« Son compte est bon ! dit Pitch à mi-voix. Il a trop encaissé pour tenir longtemps encore. Du reste, il était vaincu d'avance ! »

À ce moment, les étalons s'étaient dressés l'un contre l'autre, mordant et cognant furieusement. Steve sentait venir la fin ; il vit le cheval pie faire une brusque volte-face et lancer une terrible ruade à l'épaule de Flamme. Celui-ci chancela ; le cheval pie se jeta sur sa croupe.

Steve aurait voulu détourner les yeux. Mais il en fut incapable : il lui fallait suivre les dernières péripéties de la lutte. Flamme ne tenterait-il pas un ultime assaut, une dernière ruade ? Steve le vit faire un écart pour éviter les lourds sabots de l'adversaire. Ce fut tout. Renonçant au combat, Flamme battit en retraite vers le bas de la vallée.

Levant haut sa tête énorme, le cheval pie lança un long cri de triomphe qui retentit dans le cirque de falaises, tandis qu'au loin, d'un trot lourd et inégal, le vaincu s'enfuyait dans la nuit.

Chapitre 9

À la recherche
de Flamme

Steve suivit le fuyard de ses yeux embués de larmes. Il le vit traverser le fond de la vallée et y disparaître dans l'ombre. Longtemps encore il regarda de ce côté, jusqu'à ce que la prairie fût envahie par les ténèbres.

À son côté, Pitch demeurait silencieux. Il avait lu dans les yeux de son compagnon et croyait avoir compris à quel point il souffrait. En outre, il avait vu le cheval pie tourner autour du troupeau, sa grosse tête fièrement levée. Le nouveau chef hennit plusieurs fois ; bientôt, les juments rompirent le cercle et se remirent à paître.

Pitch se tourna vers Steve.

« Tu vois, fit-il, il n'a pas été tué. Il a été assez malin pour fuir à temps.

— C'est vrai, il a été assez malin pour s'échapper, répéta Steve, le visage tendu. Il se savait battu. (Son regard croisa celui de Pitch.) Le croyez-vous gravement blessé ? demanda-t-il.

— Assez, répondit Pitch. Mais si tu penses qu'il est allé se cacher pour mourir, tu te trompes. Il saura bien se soigner lui-même.

— Peut-être... », dit Steve qui considérait le cheval pie et le troupeau.

Pitch suivit son regard.

« Voilà que les juments ont un nouveau chef maintenant, dit-il. Ça n'a pas l'air de leur faire grand-chose. Regarde. Elles broutent du meilleur appétit comme si rien ne s'était passé. On pourrait croire qu'elles auraient aimé être consultées sur le choix du successeur. Mais elles savent bien qu'elles n'ont pas voix au chapitre. Elles ne peuvent qu'accepter ce nouveau roi, tout affreux qu'il soit.

— Moi, je ne l'accepte pas », fit Steve à mi-voix.

Interloqué, Pitch se tourna vivement vers son jeune ami :

« Mais tu ne peux rien faire d'autre, dit-il en souriant ; et, affectant de badiner, il ajouta : Elles ne nous demanderont pas notre avis, tu sais.

— Pourtant, je ne veux pas m'y résigner, fit Steve.

— Il le faudra bien ! répondit Pitch d'une voix brève. Franchement, je ne comprends pas que tu le prennes si mal. Depuis que le monde existe, c'est la loi du plus fort qui régit les bêtes. Bien sûr, je sais ce que Flamme est pour toi. Je n'ai oublié ni l'histoire que tu m'as racontée, ni cette vision que tu as eue lorsqu'on t'a opéré. C'est vraiment une coïncidence extraordinaire. Mais, toi-même, tu as admis qu'à la vue de cette brute il se savait vaincu d'avance. Ça me révolte tout comme toi, mon petit ; mais qu'y pouvons-nous ?

— Et si j'essayais de tuer le cheval pie ? hasarda Steve.

— Tuer le cheval pie ! Tu plaisantes !

— Pas du tout, Pitch.

— Tu dis des sottises, mon vieux. Allons préparer le feu et soupons. »

Steve demeurait immobile ; les yeux tournés du côté du troupeau, il guettait le cheval pie.

« Si seulement nous avions apporté un fusil ! fit-il comme s'il se parlait à lui-même. J'aurais pu l'abattre. Mais on doit pouvoir trouver un autre moyen.

— Steve ! s'écria Pitch, indigné. Qu'est-ce qui te prend ? Essaie de tuer cette bête vicieuse, et c'est toi qui seras tué ! Je ne veux plus entendre de ces balivernes. Il y avait des chevaux ici bien avant nous, et il y en aura longtemps après. Pourquoi t'exciter ainsi au sujet du cheval pie ? Qu'il soit chef du troupeau ou non, qu'est-ce que cela peut faire ? »

Steve se retourna vivement vers son ami :

« Plus que vous ne pensez, Pitch ! s'exclama-t-il. Ne voyez-vous donc pas que, si cette brute commande le troupeau, cette race de chevaux ne sera jamais plus ce qu'elle a été jusqu'à présent ?

Pitch resta un moment silencieux, puis il reprit d'un ton plus calme ;

« C'est donc ce qui te tourmente ? Mais tu n'y peux rien, Steve. Absolument rien. Si cette race de pur-sang doit s'éteindre, eh bien, tant pis !

— Ça n'arrivera pas si je peux abattre le cheval pie, répéta Steve avec entêtement.

— Tu n'es pas raisonnable, Steve, répliqua Pitch irrité. Je ne veux pas que tu risques ta vie pour tuer ce monstre. Le seul qui puisse nous en débarrasser, c'est Flamme ; or, je doute qu'il revienne contester son titre au cheval pie.

— Et pourquoi pas ? » s'exclama Steve. (Les derniers mots de Pitch venaient de lui rendre l'espoir.) C'est peut-être la solution ! Peut-être Flamme voudra-t-il prendre sa revanche !

« — Peut-être, en effet », dit Pitch en se dirigeant vers la grotte.

Cette fois, Steve le suivit aussitôt et, reprenant l'idée qu'il venait d'exprimer :

« Vous savez, Pitch, dit-il, c'est sûrement pour cela qu'il a battu en retraite... je veux dire : pour contre-attaquer. Il est très intelligent, ne l'oubliez pas !

— J'en suis convaincu, Steve », répondit Pitch conciliant.

Ils vidèrent leurs sacs et commencèrent à préparer le souper. Steve se taisait. Tout à coup, une idée lui vint à l'esprit.

« Dites-moi, Pitch, demanda-t-il d'un ton hésitant : vous ne pensez pas qu'aujourd'hui Flamme a encaissé des coups trop durs, et que plus jamais il ne sera égal à lui-même ? J'ai entendu dire que cela arrive à des champions de boxe. »

Pitch se mit à rire :

« Mais c'est un cheval, Steve ! Ce n'est pas un boxeur ! À dire vrai, d'ailleurs, ajouta-t-il, je ne m'y connais pas plus en boxeurs qu'en chevaux. »

Tandis que nos campeurs s'entretenaient ainsi, leur feu commença de flamber gaiement.

« Pitch ! » dit Steve.

Pitch se tourna vers son compagnon ; il fut frappé par son air sérieux et par l'éclat de son regard.

« Qu'y a-t-il, Steve ?

— Dès demain, je me mettrai à la recherche de Flamme, déclara le jeune homme d'un ton décidé. Il a sûrement besoin de soins. Je pourrai peut-être le ramener par ici pour qu'il prenne sa revanche sur le cheval pie... quand il sera guéri, bien sûr. »

Pitch était bien certain que Steve serait incapable de retrouver l'étalon, et plus encore de l'inciter à revenir à l'attaque. Mais en cherchant Flamme, il oublierait peut-être le cheval pie, ainsi que son absurde projet de le tuer. Pitch se sentit agréablement rassuré.

« Ton idée n'est pas mauvaise du tout, dit-il. Ouvre une boîte de haricots, veux-tu ? L'eau bout. »

Dès le lendemain matin, Steve se mit en campagne. Un rouleau de corde sur l'épaule pour le cas où il parviendrait à s'approcher assez près de Flamme, il descendit jusqu'à la prairie et se dirigea du côté opposé à la grotte. Le troupeau s'était déplacé vers le bas de la vallée, mais on le distinguait nettement.

Tandis que Steve avançait, son regard était fixé sur le cheval pie. La brise soufflait vers le troupeau, et l'étalon devait sentir l'odeur de Steve. Pourtant celui-ci ne se croyait pas en danger. La brute, pensait-il, attaquerait tout autre cheval décidé à lui lancer un défi, non un être humain. Son odeur, toute nouvelle pour l'étalon, pourrait l'intriguer, l'inquiéter tout au plus : aussi longtemps qu'il n'approcherait pas du troupeau, Steve ne courrait aucun risque ; or, il avait promis à Pitch de se tenir à l'écart en descendant la vallée.

Le cheval pie dressait l'oreille, sa grosse tête, mi-noire mi-blanche, tournée du côté de Steve. Il le fixa durant plusieurs minutes de ses petits yeux méchants, puis se remit à paître.

Steve pressa le pas jusqu'à ce qu'il atteignît ce qu'il croyait être une herbe plus haute : c'était en réalité des cannes à sucre sauvages qui lui montaient presque jusqu'à la poitrine. Il marcha à demi courbé, si bien que seul le balancement des tiges révélait sa présence.

Arrivé à découvert, il s'arrêta pour s'orienter.

Quelques arbres le séparaient du pied des falaises, d'autres poussaient le long des cannes et vers le bas de la vallée : il pourrait y grimper en cas de danger. Levant prudemment la tête du côté du troupeau, il remarqua que le cheval pie continuait à brouter tout en se rapprochant de sa bande. Tout était pour le mieux : l'étalon semblait décidé à ignorer la présence de l'homme.

Steve se courba de nouveau et se remit en marche ; il ne ralentit l'allure et ne se redressa que passé l'endroit où paissait le troupeau. Alors il respira et, se sentant à peu près en sécurité, reprit sa course sans se retourner aussi souvent pour surveiller les animaux.

Il lui fallut une bonne heure pour atteindre l'endroit où il lui semblait avoir vu Flamme s'enfoncer parmi les cannes et disparaître dans l'ombre des falaises. Tout en avançant, il cherchait la piste de son cheval : nulle part les cannes n'étaient brisées, ni même écartées ; aucun signe du passage de l'étalon ! Sans plus de succès, il passa du côté opposé, revint, reprit sa marche vers le bas de la vallée, et au bout d'une centaine de pas, tomba enfin en arrêt devant des cannes piétinées. Aussitôt il s'élança sur la piste que Flamme avait frayée !

Chapitre 10

Flamme retrouvé !

Le champ de cannes n'était pas large : une centaine de pas, tout au plus. Au-delà, Steve trouva un
terrain gazonné, qui s'élevait en pente douce
jusqu'au pied d'une muraille verticale de couleur
ocre ; il chercha autour de lui de nouvelles traces du
passage de Flamme, mais il eût fallu l'œil d'un trap-
peur pour les découvrir !

Il demeurait là, indécis, laissant errer ses regards
du haut en bas, puis tout au long de la falaise qui se
dressait à plus de cinquante mètres au-dessus de la
prairie. Visiblement elle n'offrait aucune issue.

Le terrain descendait graduellement jusqu'au bas
de la vallée d'où une légère brume commençait à
monter. « Flamme n'a pu s'enfuir que de ce côté »,
pensa Steve. Il fit une courte pause, examina derrière
lui les cannes courbées par la brise et, plus loin, la
prairie verdoyante piquetée d'arbres au feuillage éclatant. Puis, son rouleau de corde sur l'épaule, il se
dirigea vers la partie de la plaine que recouvrait le
brouillard. Il atteignit bientôt une sorte de marécage
dont il percevait l'odeur de plus en plus nauséabonde
à mesure que le soleil montait.

Steve pressa le pas. Il était convaincu que son cheval était passé par là et qu'il trouverait la trace de ses pas sur la terre humide et molle. Maintenant la brume s'étalait sur tout le bas de la vallée et recouvrait le champ de cannes. Steve longea le marais sans quitter le sol des yeux. Soudain, il s'arrêta et s'agenouilla pour mieux voir. Les empreintes des sabots de Flamme venaient de reparaître : elles allaient droit au centre du marécage !

Steve hésita un moment. Ne valait-il pas mieux attendre que la brume se dissipe ? Dans ce brouillard, Steve ne risquait-il pas de perdre la piste et de s'égarer ? Ces vapeurs devaient être pestilentielles aux premiers rayons du soleil. Après avoir réfléchi, Steve décida d'avancer : impossible de retarder les recherches sans nécessité absolue.

Il retint son souffle et, à travers les grands roseaux et les hautes fougères qui croissaient dans la vase du marais, il s'enfonça dans la brume. D'étroites levées de terre émergeaient entre de petites mares noirâtres. Prudemment, le jeune homme y suivit les pas de l'étalon. Les vapeurs étaient moins épaisses qu'il ne l'aurait cru, mais leur odeur, quand il respirait, était presque intolérable. Pourtant la certitude d'être sur la piste de Flamme lui donnait du courage.

Les traces de l'étalon suivaient une ligne sinueuse, jalonnée de mottes de gazon, qui montait vers la falaise. Sans jamais relâcher son attention, Steve avançait lentement, les yeux rivés au sol, se gardant d'appuyer sur la terre molle. De part et d'autre, la piste était bordée par endroits de fondrières et de creux pleins de vase où l'on risquait d'enfoncer et de disparaître ; aussi Steve restait-il constamment sur ses gardes. Plus il progressait et plus il était persuadé que Flamme connaissait bien cette piste : les empreintes largement espacées à intervalles réguliers montraient qu'il n'y avait eu dans sa course ni hésitation ni arrêts.

Peu à peu, la brume commença à se dissiper, le sol devint plus ferme en même temps que la pente vers la falaise se faisait plus raide, Steve put respirer à pleins poumons un air presque pur. Il hâta le pas.

Enfin, il était sorti du marais ! Il s'arrêta, stupéfait : devant lui la falaise s'abaissait brusquement au-dessus d'une longue faille en pente raide. Aucune trace des sabots de Flamme sur ce sol pierreux. Pourtant Steve ne douta pas que l'étalon ne fût passé par là.

Le cœur battant, plus d'émotion que du fait de l'escalade, Steve s'engagea dans la faille ; celle-ci avait dû être jadis le lit d'un torrent qui se déversait dans le marais et qui était maintenant à sec. Le sol était encombré de galets et creusé de trous profonds parmi lesquels le garçon avançait péniblement, en prenant de grandes précautions. Comment l'étalon avait-il pu remonter cette gorge sans se casser une jambe ? Évidemment, le chemin lui était connu ; il avait dû y passer maintes fois auparavant.

Steve atteignit le haut de la gorge. Devant lui s'étendait une étroite vallée, très verdoyante, longue à peine d'un kilomètre. Le lit d'un ruisseau bordé de gazon la traversait en son milieu et allait se perdre parmi des cannes sauvages.

Steve regardait, émerveillé par sa nouvelle découverte. L'herbe du vallon brillait, pareille à une émeraude sertie dans le cadre doré des hautes falaises qui en rehaussait la beauté. La solitude était impressionnante.

Le jeune explorateur était si ému qu'il ne remarqua pas tout de suite la présence de l'étalon à la robe

feu. Celui-ci paissait tranquillement au centre du vallon : bientôt, il s'avança jusqu'au bord du ruisseau et
allongea son cou gracieux pour se désaltérer. Sa robe
fauve luisait au soleil tandis qu'il buvait là, solitaire
et silencieux.

Steve s'arracha enfin à sa contemplation et
s'avança vers le champ de cannes sauvages. Il marchait vite, sans quitter l'animal des yeux. Celui-ci
semblait ignorer sa présence. Steve voulait s'avancer
vers lui le plus possible. Il n'eut pas un instant l'idée
qu'il pouvait courir un danger : comment *son* cheval
aurait-il pu l'effrayer ? Ne s'était-il pas souvent
approché de lui dans ses rêves d'enfant ?

Il venait d'atteindre les cannes sauvages et s'y
était blotti lorsque l'étalon dressa la tête. Sa robe et
sa crinière étaient encore tachées de sang ; sa bouche
saignait toujours. Cependant il portait fièrement sa
tête fine, et ses yeux étonnés lançaient des éclairs. Il
était en alerte, soupçonnant la présence d'un ennemi
caché non loin de là et dont l'odeur parvenait à ses
naseaux délicats. La crainte, qui, sourdement, s'était
emparée de son corps harassé, le troublait tout autant
que cette odeur qu'il venait de humer. Au bout d'un
long moment d'attente inquiète, il prit peur et détala
vers le haut du vallon.

Pendant ce temps Steve était resté immobile.
Voyant l'étalon faire volte-face et bondir vers
l'extrémité du vallon, il se redressa. « Il ne
pourra aller bien loin dans ce cul-de-sac, se dit-il.
Inutile de me cacher plus longtemps. Je ne
pourrai l'approcher assez pour le soigner qu'en
gagnant sa confiance... Il est encore plus beau
que je ne l'avais rêvé ! Ses blessures ne sont pas
sérieuses, sinon il ne trotterait pas avec autant
d'aisance. Bien sûr, les morsures et les coups du

cheval pie ne sont pas encore guéris, mais les plaies ne tarderont pas à se cicatriser sur un animal sauvage et parfaitement sain tel que lui. Il est surtout épuisé par sa lutte. Je suis sûr qu'il est encore capable de battre cette vilaine brute... Il retournera certainement à son troupeau. Il l'a commandé et protégé trop longtemps pour vivre solitaire... en paria. »

Parvenu à l'extrémité du vallon, Flamme s'arrêta et fit demi-tour, ses petites oreilles pointées en avant afin de percevoir le moindre bruit, l'attention et les muscles tendus, prêt à fuir au moindre péril. Mais cette fois, ses yeux suffirent à lui révéler l'approche de l'ennemi. Son regard mobile repéra aisément la silhouette du bipède qui s'avançait dans sa direction parmi l'herbe haute. L'animal ouvrit sa bouche encore empâtée de sang séché et découvrit ses dents. Il s'agita, inquiet, sans toutefois esquisser un mouvement de retraite ou d'approche. Il fit entendre une sorte de long sifflement aigu qui se répercuta de falaise en falaise.

Sans doute à ce moment éprouvait-il plus fortement la douleur que lui causaient ses blessures, car il secoua la tête et se mit à piaffer furieusement. Cette sensation nouvelle qu'il avait éprouvée au cours de sa lutte avec le cheval pie faisait maintenant partie de lui-même. Qu'il fût au repos ou galopât ventre à terre, il ne pouvait s'en débarrasser. Il frémit de la tête aux pieds comme il faisait toujours avant d'affronter un ennemi. Mais, il le savait, celui-ci était d'un genre inconnu. Aussi tremblait-il de frayeur plutôt que de haine. Cédant à la panique, il s'éloigna à longues foulées.

Alors, Steve traversa la prairie ; il longeait le lit du torrent lorsqu'il vit Flamme changer de direction et remonter au galop la pente que bornait de ce côté une paroi du canyon. Que signifiait cette fuite de l'étalon ? Steve ne savait comment l'interpréter. Le cheval pie n'avait pas fui en apercevant un être humain, pourtant il était aussi farouche que Flamme... Oui... mais le cheval pie avait désormais à protéger le troupeau dont il était devenu le roi.

« Si seulement je pouvais l'approcher assez pour lui montrer que je ne lui veux aucun mal !... » se dit Steve. La base de la falaise vers laquelle il se dirigeait était un chaos de rochers d'un abord difficile. Flamme les franchit, et soudain disparut.

Parvenu à son tour au sommet de cet amas rocheux, Steve aperçut devant lui une galerie souterraine d'où venait le torrent et, légèrement à droite, il découvrit l'étroite crevasse par où Flamme avait disparu.

Il descendit la gorge. Le vent le souffletait par rafales. « On dirait un vent de mer », pensa Steve. Où diable l'étalon le conduisait-il ? Courbé sous les bourrasques de plus en plus fortes à mesure qu'il avançait, Steve dégringola la pente rocailleuse, et atteignit enfin une sorte de plate-forme.

La gorge finissait là. Devant lui s'ouvrait un grand trou obscur. Il s'élança de ce côté, mais s'arrêta bientôt : la mer ! Dominant le vent, il entendait les coups sourds des vagues sur les rochers.

Le jeune homme maîtrisa difficilement son excitation. Très intrigué, il s'enfonça dans la pénombre, avançant de plus en plus vite à mesure que ses yeux s'accoutumaient à la demi-obscurité. L'espèce de tunnel où il s'était engagé était haut et spacieux ; tout faisait croire qu'il avait été creusé par la mer. Ses parois étaient de roche poreuse de couleurs variées, roses, vertes, grises ou blanches ; des touffes d'algues y étaient encore accrochées.

Le cœur de Steve battait à grands coups tandis qu'il s'élançait vers l'endroit d'où lui parvenait le fracas des flots. Il contourna une saillie et soudain s'arrêta. Devant lui s'ouvrait une grotte dont les dimensions lui parurent extraordinaires. Jamais il n'en avait vu ni même imaginé de si vaste ! Elle était traversée par un étroit canal où l'eau montait et descendait tour à tour peut-être sous l'effet du ressac. Des pilotis moussus enfoncés dans le sable fin et très blanc qui tapissait le sol étayaient ses parois.

« C'est là, se dit Steve, que jadis devaient s'abriter les chaloupes et les galions espagnols ancrés au large de l'île Azul ! Les conquistadors devaient y apporter leur butin ; leurs soldats trouvaient dans ces souterrains une forteresse naturelle. De la mer, l'entrée de cette grotte doit être complètement invisible. Pas étonnant, pensa-t-il, que ni Pitch ni moi ne l'ayons aperçue en longeant le rivage. »

Il demeura là quelques instants, si étonné par tout ce qu'il découvrait qu'il en oubliait Flamme. Puis une affreuse inquiétude le saisit : où son cheval pouvait-il bien être ? Sa course avait dû pourtant s'arrêter là !

La grotte était baignée d'une douce lumière probablement teintée par les reflets variés des roches. Néanmoins, à mesure qu'il avançait, Steve éprouvait un malaise vague, proche de la peur ; il ne pouvait ni en préciser la cause ni le maîtriser. Il fit quelques pas et, sur sa droite, découvrit l'entrée d'une seconde grotte.

Celle-ci était beaucoup plus petite ; la lumière y pénétrait à peine. Steve y distingua une charpente grossière faite d'un mât haut de plus de cinq mètres enfoncé dans le sol. Au sommet était fixée une poutre horizontale d'où pendait une longue et lourde chaîne qui descendait jusqu'à mi-hauteur et se terminait par un gros anneau. Cette machine n'était autre chose qu'une grue primitive faite pour soulever de lourdes charges.

Prudemment, Steve s'en approcha. Sous la chaîne, il distingua une mare de couleur sombre qui s'étalait au fond d'une sorte d'entonnoir. Non sans peine, le jeune homme descendit jusqu'au bord de l'eau ; celle-ci, peu profonde, recouvrait une vase brunâtre. Il pensa aussitôt aux fondrières du marais qu'il venait de traverser ; le fond de cet entonnoir devait être de boue molle et mouvante.

Saisi d'horreur, Steve rebroussa chemin et ne s'arrêta qu'à la plate-forme devant la grotte. Il ne pouvait rester là plus longtemps. Il lui fallait retrouver au plus tôt la chaude compagnie de Pitch. Mais avant de partir il voulut être bien sûr que Flamme n'était pas là. Il revint à la grotte et, de l'entrée, essaya d'en percer la pénombre. En vain. Il ne pouvait voir jusqu'au fond. Maîtrisant sa frayeur, il avança encore un peu. Aucune trace de l'étalon. Avait-il fait demi-tour ? Et quand ? Y avait-il un autre passage inconnu de Steve ?

Le jeune homme allait repartir quand il surprit le mouvement d'une ombre sur l'une des parois. Il recula, tremblant de peur ; son pied glissa, Steve chancela et tomba. À ce moment, une silhouette fila devant lui. Il se releva d'un bond et s'élança vers l'entrée. Alors il entendit un bruit mat de sabots frappant le sable et aperçut l'étalon à la robe feu. Fou de peur, Flamme avait trébuché sur la pente abrupte de l'entonnoir.

Au même instant, la grotte retentit de ses hennissements et des coups sourds de ses sabots : dans son
effort pour se redresser il battait furieusement le bord
de la mare. Le poids de sa croupe le fit basculer et,
sous les yeux épouvantés de Steve, lentement, il
commença à s'enfoncer dans la vase.

Chapitre 11

L'enlisement

Tout d'abord, la crainte de l'homme fit place, chez l'animal, à l'horrible sensation d'être aspiré par la vase. Déjà ses pattes de derrière y disparaissaient à moitié. Désespérément, il essayait de se maintenir au bord avec celles de devant. C'était pour la pauvre bête le plus rude combat qu'elle eût jamais livré, et cette fois sa vie en était l'enjeu. La vase était un ennemi autrement redoutable que le cheval pie. Flamme tentait de se hisser en enfonçant ses sabots de devant dans le sol de la berge, mais la boue cédait lentement, impitoyablement, sous son poids.

Encore tout endolori de sa chute, Steve contemplait l'affreux spectacle. Cette lutte de Flamme contre la mort lui semblait un mauvais rêve ; il lui fallut plusieurs secondes pour se rendre clairement compte du danger que courait l'animal. Mais lorsqu'il vit ses pattes de derrière s'enfoncer peu à peu tandis qu'il faisait des efforts désespérés pour s'agripper à la terre ferme, il fut pris d'une angoisse telle que jamais il n'en avait ressenti.

Comme un insensé il se mit à courir à droite, à gauche autour de la mare, ne sachant que faire pour aider son cheval, perdant un temps précieux... Si seulement Flamme cessait de se débattre aussi furieusement, il s'enliserait moins vite, et Steve aurait peut-être le temps d'imaginer un moyen de le tirer de là. Mais quel moyen ? Par où commencer ?

Il remonta au pied du mât, ramassa le rouleau de corde qu'il avait laissé tomber dans sa chute, et redescendit vers la mare. Flamme avait cessé de battre le bord de ses pattes de devant ; il ne remuait que lorsque ses sabots glissaient. Il lança à Steve un regard méchant, mais le garçon n'y prit pas garde : toute son attention était concentrée sur le garrot de l'animal. Comment entourer le garrot avec la corde ? et comment haler un poids pareil ?

Tout en réfléchissant, Steve leva les yeux. La chaîne ! La solution lui apparut en un éclair. Il remonta la pente en moins de temps qu'il n'en faut pour le dire, courut au mât, examina le treuil autour duquel la chaîne s'enroulait et, son rouleau de corde sur l'épaule, se mit à grimper.

Parvenu au sommet, il éprouva la solidité du bras horizontal, puis s'avança à califourchon jusqu'à son extrémité. Ayant amené la chaîne à lui, il put atteindre l'anneau et y passer sa corde après l'avoir doublée, puis il la noua solidement. Il fit ainsi un grand nœud coulant qui pendait au bout de la chaîne. Lentement, il la laissa descendre et lança le nœud jusqu'au bord du trou. Cela fait, il regagna le mât à reculons et glissa jusqu'à terre.

Sans perdre un instant, Steve descendit au bord de l'eau, ramassa son nœud coulant et s'avança prudemment vers l'étalon. Le plus difficile restait à faire : ceinturer l'animal avec ce genre de lasso.

En approchant de Flamme, Steve fut empli de pitié à la vue de sa bouche saignante mouchetée d'écume.

L'étalon battait de nouveau furieusement le bord de la mare de ses sabots, mais si puissantes que fussent ses jambes, il s'épuisait en vains efforts pour s'arracher à la prise mortelle de la vase. Il tourna vers Steve un regard si mauvais que celui-ci en frissonna.

Pourtant il fit un pas vers le cheval ; il savait qu'au moment où il lui faudrait passer le nœud coulant sous le ventre de l'animal, il serait à moins d'un pas de ses redoutables mâchoires. Tenant le nœud grand ouvert à bout de bras, le garçon se mit à parler doucement :

« Tu es mon cheval, Flamme. Il y a longtemps que nous nous connaissons, tu sais. La première fois que je t'ai vu, tu étais tout en haut d'une falaise. Et ce n'était pas hier... Il y a des années de cela. Et la première fois que tu es venu vers moi et que je t'ai suivi, comme aujourd'hui, tu t'es débattu tout comme en ce moment... Tu avais peur de moi ce jour-là. Tu croyais que je te voulais du mal, mais pas du tout. Et tu as fini par le comprendre, exactement comme tu vas t'en rendre compte, Flamme. Je veux... »

Tout en parlant, Steve avançait vers la bête. Celle-ci retroussait méchamment les lèvres et hennissait de rage et de terreur. Le jeune homme s'efforçait de ne montrer ni hésitation ni crainte : il lui fallait approcher de Flamme comme d'un ami en qui on a toute confiance.

« Avance toujours, parle, parle, se disait-il. Dis n'importe quoi, même si ça n'a pas de sens, pourvu qu'il s'habitue à ta voix. Mais surtout n'arrête pas... »

« C'est ça que tu veux, n'est-ce pas, Flamme ? Entendre ma voix... Tu la connais, hein ? Tu l'as déjà entendue. Il y a des années de cela. Et moi aussi je t'ai entendu. Je connais ton cri si aigu qu'il fait penser à un sifflement, un sifflement plus perçant que tous les autres. Mais à présent, te voilà dans un beau pétrin ! C'est pour cela que je suis venu t'aider à en sortir. Tu n'y parviendras pas seul, Flamme. Il faut qu'on t'aide... Tu as besoin de moi. Rien que... »

Steve était arrivé assez près de l'étalon pour être éclaboussé par son écume et sentir sa chaude haleine sur ses mains tendues qui présentaient la corde. Le cheval essaya de lui décocher un coup de son sabot, mais se sentant aspiré par la vase, il cessa de ruer et se contenta de suivre d'un œil farouche les mouvements de l'ennemi.

Tout en parlant à Flamme, le garçon avait, de sa main gauche, levé le haut du nœud coulant au-dessus de la tête du cheval. Le moment était venu pour Steve de se placer face à l'étalon. Il se trouverait alors à moins de trente centimètres de lui et, si son corps et sa main gauche étaient hors de portée des dents de l'animal, sa main droite, qui tenait le bas du nœud, serait dangereusement proche de ses sabots.

Il y eut dans la voix de Steve un tremblement qu'il maîtrisa de son mieux.

« Il faut m'aider, à présent, Flamme, dit-il doucement. La corde doit passer sous tes jambes de devant. Lève-les une dernière fois, ensuite ne bouge plus. »

L'arrière-train plongé dans la vase gluante, l'étalon devint fou de colère à l'approche de cet ennemi qui n'avait cessé de le harceler. En arrière, il se sentait aspiré par une force implacable, mais ses pattes de devant s'appuyaient encore sur la terre ferme ; aussi son cœur indompté se refusait-il à s'avouer vaincu. Mais voici qu'avançait ce nouvel adversaire, alors que lui-même était impuissant ! Il montra les dents, prêt à mordre, et attendit, prêtant l'oreille au murmure de l'ennemi qui approchait. Jamais Flamme n'avait ouï de voix humaine, ni vu d'animal marchant sur ses pattes de derrière.

Il secoua la tête et s'ébroua, à la fois furieux et terrifié. L'ennemi lui faisait face à présent. L'étalon vit ramper devant lui quelque chose qui lui parut être un serpent. Il essaya de l'écraser de ses sabots, mais le serpent lui passa prestement sous les pattes ; le cheval tenta un nouvel effort ; alors le serpent se glissa sous son ventre ! L'ennemi à deux pattes s'était écarté hors de portée des dents et des sabots de l'étalon. Celui-ci se remit à hennir et à piaffer furieusement, mais il comprit vite que ses mouvements désordonnés ne faisaient qu'aggraver sa situation.

Quand Steve eut réussi à faire glisser le nœud coulant assez près de la croupe de Flamme, il courut au treuil et tira de toutes ses forces sur une des manivelles. Péniblement, les roues dentées se mirent à tourner en grinçant. La chaîne commença à s'enrouler autour du treuil ; la corde se tendit au-dessus du cheval, puis autour de son corps. À ce moment, le garçon se rendit compte qu'à lui seul il serait incapable de hisser un tel poids. Heureusement, le cliquet du treuil immobilisait celui-ci chaque fois que Steve sentait le besoin de se reposer. Il fit un dernier mais inutile effort. Enfin, il se décida à aller demander l'aide de Pitch.

« Tu es sauvé, Flamme, dit-il à l'étalon. Tu ne t'enfonceras plus. Je vais chercher de l'aide. Bientôt je serai de retour. Alors on te tirera de ce trou et tu pourras retourner vers ton troupeau. »

Il lança un dernier regard à son cheval et, à grands pas, reprit le chemin du campement.

Chapitre 12

La décision de Pitch

Steve fut bientôt dans le vallon où, le matin même, il avait retrouvé Flamme. Il se dirigea vers la gorge qui permettait de regagner la vallée Bleue.

Depuis qu'il avait quitté l'étalon, il marchait comme un somnambule, l'œil terne, l'esprit engourdi. Il avait l'air morne et les membres las de celui qui vient de traverser une crise douloureuse sans avoir clairement conscience de ses péripéties. Pourtant ses pieds suivaient la piste comme si elle leur était familière.

Peu à peu, cependant, il se ressaisit et revit en esprit les épisodes du drame dont il avait été le témoin. La pensée qu'il venait d'arracher Flamme à une mort certaine lui donna du courage. Il était sûr que le nœud coulant tiendrait bon ; il ne restait qu'à obtenir l'aide de Pitch pour hisser l'étalon hors du trou.

En pénétrant dans la gorge, Steve regarda le ciel et, à la hauteur du soleil, il jugea que l'après-midi n'était pas très avancé. Mais l'après-midi de quel jour ? Était-ce ce matin même qu'il était parti à la recherche de Flamme ? Il y avait sûrement plus longtemps que cela !

« Mais non, se dit-il enfin, c'est bien aujourd'hui que tout cela s'est passé, et il n'y a que deux jours que nous avons débarqué dans l'île Azul ! »

Deux jours seulement... Cela lui paraissait incompréhensible. Décidément, le temps ne se mesurait pas uniquement en heures et en jours. Il lui semblait que des mois s'étaient écoulés depuis que Pitch et lui avaient pris la mer pour explorer cette « langue de sable », qui passait pour être la seule partie habitable de l'île Azul.

Sur le marais, la brume était presque complètement dissipée ; seule la partie la plus basse était encore voilée d'une nappe légère. Steve descendit la prairie au gazon de velours où se voyait encore l'empreinte des sabots de Flamme. Comme il lui tardait de retrouver Pitch, de lui conter comment il avait découvert l'étalon et lui avait porté secours ! Il lui demanderait de l'aider, de retourner à la grotte avec lui cet après-midi même. Peut-être devraient-ils y passer la nuit ? Pitch comprendrait sûrement qu'il fallait sans tarder sortir Flamme de sa fâcheuse position afin qu'il puisse paître et que ses blessures guérissent au plus tôt.

« C'est moi qui les soignerai », se dit Steve. Déjà il avait oublié combien l'étalon était furieux dès qu'on l'approchait... et combien lui-même avait eu de peine à maîtriser sa propre frayeur.

Enfin il parvint au haut du vallon et embrassa du regard la plaine verdoyante. Dans le lointain, il reconnut la cascade qui tombait en nappe luisante depuis le tunnel creusé dans la falaise jusqu'à l'étang qui s'étalait au pied.

Il lui fallut quelques minutes pour repérer le cheval pie et sa tribu, car ils s'étaient éloignés de l'étang et paissaient à l'autre extrémité du vallon. Steve hâta le pas : il s'agissait d'utiliser au mieux le temps que l'éloignement du cheval pie lui laissait pour remonter le vallon sans danger.

Parvenu au champ de cannes, il se courba afin de n'être pas vu. Le vent venait de l'endroit où paissaient les chevaux ; ceux-ci ne pouvaient donc le sentir approcher.

Quand il fut à hauteur du troupeau, il s'arrêta un instant et contempla l'étalon noir et blanc. Le nouveau roi broutait à l'écart, tournant parfois sa grosse tête vers les juments. Il fouettait les mouches de sa blanche queue et piaffait pour chasser celles qu'il ne pouvait atteindre. Les muscles de son cou puissant saillaient sous la peau quand il baissait la tête. Soudain, il cessa de paître et se redressa brusquement. Il demeura un instant immobile, les mâchoires serrées, une touffe d'herbe sortant de sa bouche. Puis il tourna la tête et regarda fixement du côté de Steve. Enfin, il s'immobilisa de nouveau ; seuls bougeaient ses petits yeux perçants. Après un long moment, il se remit à brouter.

Durant ce temps, à moitié courbé parmi les cannes, Steve s'était avancé vers le haut du vallon.

« À la prochaine rencontre, tu n'auras pas la partie aussi belle, murmura-t-il en songeant à la revanche de Flamme. Tu ne seras pas longtemps le chef de sa tribu ! »

Parvenu près de l'étang, Steve se redressa et courut à travers les cannes vers la piste qui conduisait à leur campement. Il était si impatient de retrouver Pitch qu'il en avait oublié son extrême fatigue. Dès qu'il fut au pied de la falaise, il appela, la tête levée vers l'entrée de la grotte où ils avaient campé :

« Pitch ! Pitch ! »

Son appel demeura sans écho. Il ne vit point paraître la frêle silhouette de son ami.

« Pourtant il devrait y être, se dit-il un peu inquiet. En tout cas, il ne peut être bien loin. »

Sur le sol de la grotte, il vit le sac et la corde de Pitch. À côté, se trouvaient le réchaud et plusieurs boîtes de conserve vides. Évidemment, Pitch avait mangé là peu de temps auparavant. Où pouvait-il bien être ?

Du bord de la plate-forme, devant la grotte, Steve examinait la vallée, quand il entendit un cri au-dessus de sa tête. Il virevolta et leva les yeux vers le haut de la falaise.

« Pitch ! appela-t-il.

— Ohé ! répéta Pitch. Par ici ! »

Steve regarda vers l'endroit d'où le ruisseau jaillissait au-dessus de l'entrée du souterrain. Pitch était là, collé à la muraille comme une mouche. Steve aurait voulu l'appeler de nouveau, mais, craignant que le moindre instant d'inattention ne lui fît perdre l'équilibre, il le regarda en silence descendre prudemment la falaise.

Quelques minutes plus tard, Pitch parvenait à l'entrée du souterrain et dévalait le raidillon qui aboutissait à la grotte.

« Steve ! hurla-t-il de loin. J'ai trouvé des trésors ! Et il y en a d'autres ! »

Les poches de sa veste étaient bourrées à craquer. Son regard croisa celui de Steve. Il lut l'inquiétude sur le visage tendu de son jeune ami.

« Tu as bien cru que je ne redescendrais pas vivant de là-haut, hein ? demanda-t-il en lui adressant un sourire un peu forcé. Pourtant c'est beaucoup moins difficile qu'il ne paraît d'ici. La corniche est assez large et on y est comme sur un escalier. Elle a dû être aménagée par les Espagnols. Elle conduit à plusieurs petites cavernes. Il faudra que tu voies ça, mon vieux ! »

Tout en parlant, Pitch s'apprêtait à sortir quelque chose d'une de ses poches ; il s'interrompit soudain, intrigué par la mine de Steve.

« Tu n'as pas commis d'imprudence au moins ? lui demanda-t-il, inquiet. J'ai vu ce diable de cheval pie de ton côté au moment où tu partais ce matin. Je n'ai été rassuré qu'après que tu as eu traversé la vallée et que j'ai vu cette vilaine bête se remettre à brouter. »

Pitch se tut, pris de remords en voyant l'air harassé de son compagnon. C'était bien le moment de lui vanter ses découvertes ! Confus, il sortit de ses poches ses mains vides.

« Tout d'abord, il faut que tu manges, décida-t-il. Et puis, tu dois être mort de fatigue. Que diable as-tu fait depuis ce matin ? Où es-tu allé ? Je vais rallumer le feu et te préparer à manger, poursuivit-il sans attendre la réponse de Steve.

— Je n'ai pas faim », dit le jeune homme d'une voix lasse.

Avant de regagner le camp, il s'était préparé à conter dans leurs moindres détails ses aventures à Pitch. Son excitation était tombée soudain, tant il se sentait épuisé. Pourtant, il n'avait pas le droit de se laisser aller. Il lui fallait retourner vers son cheval et le sauver. Il tenta un effort pour satisfaire la curiosité de son ami :

« Pitch... », commença-t-il.

Mais celui-ci l'interrompit aussitôt :

« Tout à l'heure, tu me raconteras... Pour l'instant, il faut que tu manges. Pense donc, l'heure du déjeuner est passée depuis longtemps ! Tu me diras tes aventures quand j'aurai préparé ton repas.

— Oui, dit Steve.

— Tu l'as retrouvé, n'est-ce pas ? demanda Pitch moins pour l'interroger que pour se répondre à lui-même.

— Oui, je l'ai retrouvé. »

Steve se tut. Pour des raisons qui, sur le moment, lui échappaient, il n'avait pas envie de conter ses aventures, il préférait répondre aux questions que Pitch ne manquerait pas de lui poser. Il regardait les poches de son ami. Quels trésors pouvaient-elles bien contenir ? Pitch l'archéologue, qui attachait tant de prix à ses trouvailles, s'intéresserait-il aux malheurs de Flamme ? Enfin, le repas étant prêt, Pitch s'assit, et Steve se décida à parler :

« J'ai pu l'approcher de très près, Pitch, si près que je crois l'avoir touché. Quand je l'ai aperçu pour la première fois, il buvait au ruisseau qui court d'un bout à l'autre du vallon.

— Le ruisseau ? C'est drôle, je ne l'ai pas vu ! dit Pitch d'un air étonné. Que me contes-tu là ? Il n'y a pas de ruisseau dans cette vallée. L'étang où boivent les chevaux ne se déverse nulle part.

— Il ne s'agit pas de la vallée Bleue, Pitch, mais d'une autre, plus étroite, qui est de l'autre côté du marais.

— Du marais ? Quel marais ? Où est-il ? »

Steve tendit le bras vers le bas de la vallée.

« Regardez, fit-il. On en voit tout juste la partie la plus proche, d'où s'élève une brume légère.

— Je l'aperçois à présent. On la distinguait plus nettement ce matin. Je me demandais comment était le pays par là. Où est donc ce vallon ?

— On traverse une gorge, sur la droite, au bout de la vallée, expliqua Steve. D'ici la gorge est invisible, mais elle s'enfonce dans la falaise jusqu'au vallon. »

Pendant que Pitch lui servait son déjeuner, Steve fit le récit des événements de la matinée : sa découverte du vallon, celle de Flamme, puis il raconta l'accident.

« Mais Flamme est hors de danger maintenant, conclut-il. Il ne peut pas s'enfoncer davantage. Nous pourrons sûrement le sortir de là, Pitch.

— À quoi bon ? Pourquoi prendre d'autres risques ? N'as-tu pas été déjà trop imprudent ? » demanda Pitch après un moment de silence.

Steve bondit :

« Pitch ! Vous ne parlez pas sérieusement ! Je ne peux pas croire cela de vous ! » s'exclama-t-il d'un ton amer.

Pitch feignait de s'affairer autour du feu ; il n'osait pas affronter le regard de son ami. Il se sentait coupable. N'était-ce pas lui qui avait suggéré cette expédition à l'île Azul, lui qui avait enflammé l'imagination de Steve par ses histoires de conquistadors ? Certes, ils avaient trouvé beaucoup plus de choses qu'ils n'espéraient ; découvert un monde perdu où nul homme n'avait pénétré depuis des siècles, des trésors que bien des savants jugeraient du plus haut intérêt. Mais de quel prix déjà ils les avaient payés ! Ils avaient erré tout un jour dans les ténèbres des souterrains et n'en étaient sortis que par une chance inouïe. Puis ils avaient assisté aux luttes farouches entre les étalons sauvages. Quelles autres épreuves son compagnon pourrait-il encore soutenir ? Steve, il est vrai, n'était plus le garçon qu'il avait emmené « en excursion » ; c'était un homme à présent, et combien d'hommes auraient eu sa résistance et son cran ?

« Ne comprenez-vous pas, Pitch ? plaidait Steve. Nous ne pouvons absolument pas le laisser périr ainsi ! Ce serait pis que si je n'avais rien tenté pour le sauver : il se serait enlisé tout à fait et ne souffrirait plus depuis longtemps. Vous ne pouvez pas le laisser s'enfoncer vivant dans cette horrible mare, Pitch ! En tout cas, moi, je ne le peux pas ! »

Pitch continuait de tourner autour du feu sans souffler mot. Enfin il dit d'une voix qui tremblait d'émotion :

« Je me rends compte, mon vieux. Je te comprends. Achève ton repas, après quoi nous partirons. »

Les traits de Steve se détendirent.

« C'est bien vrai, Pitch ? s'écria-t-il. Vous viendrez avec moi ? »

Pitch se dépêchait d'éteindre le feu. Il demeura silencieux un moment avant de répondre :

« Mais oui, Steve. Que puis-je faire d'autre ? »

Le visage du jeune homme s'illumina ; sa lassitude, son amertume de tout à l'heure étaient oubliées. Déjà il parlait de ce qu'ils devraient emporter.

« N'oublions pas la trousse de premiers secours, Pitch, dit-il. Il a de vilaines blessures ; pourtant je crois que je pourrai le soigner. Mais il n'y a pas de temps à perdre : il doit encore se débattre pour essayer de s'échapper. Plus il s'épuisera, plus il lui faudra de temps pour guérir. »

Pitch attendit que Steve eût fini de manger. Puis, l'air grave, il reprit :

« Écoute, mon garçon, je veux bien t'aider ; mais si nous réussissons à le sortir de cette mare, il faut me promettre de ne plus t'en occuper, de ne pas essayer de le soigner.

— Que voulez-vous dire ?

— Exactement ce que je viens de te dire, fit Pitch d'un ton ferme, presque sec. Il faudra laisser partir

Flamme en liberté. Je sais tout ce qu'il est pour toi. Je l'ai bien mieux compris depuis hier, mais il est aussi sauvage et aussi méchant que... le cheval pie ! Ils sont de la même race, nés en liberté et faits pour vivre en liberté. Il vaut mieux que tu le comprennes avant de te faire tuer.

— Mais, Pitch, avec Flamme, ce n'est pas la même chose ! *Il me connaît.* Il sait que je ne lui veux aucun mal, que je désire seulement le sauver.

— Il ne faut plus l'approcher, Steve, ordonna Pitch d'un ton définitif. Qu'il retourne ou non à son troupeau, ça ne nous regarde pas. Si nous le sauvons, tu devras le laisser aller où bon lui plaira. C'est à cette seule condition que je t'accompagnerai. (Il se tut un moment, puis il reprit :) Nous avons déjà couru assez de dangers depuis notre départ d'Antago, Steve, et notre retour ne sera pas des plus faciles, bien que j'aie retrouvé une vieille lampe dans une des poches de mon sac ; grâce à elle, nous pourrons nous diriger plus commodément dans les souterrains. (Puis changeant brusquement de sujet :) Tiens, ajouta-t-il en vidant ses poches, sais-tu que j'ai découvert un autre éperon et un pistolet ? »

Mais Steve n'écoutait plus. Quelques instants plus tard, il demanda d'une voix calme :

« C'est bien votre dernier mot, Pitch ? Si nous le sauvons, *il faudra le laisser aller où il voudra ?*...

— Ex-ac-te-ment, répliqua Pitch en détachant les syllabes... et sans le poursuivre ni essayer de le soigner. Il se passera bien de toi !

— Bon. D'accord, Pitch, fit Steve pensif.

— Et maintenant, repose-toi, pendant que je range nos affaires, dit Pitch. Tu en as grand besoin. »

Steve s'allongea, la tête sur son sac.

« Nous ferons bien d'emporter nos sacs, dit-il d'une voix ensommeillée, pour le cas où nous devrions passer la nuit là-bas.

— Tu as raison, dit Pitch. Nous allons... »

Il s'interrompit. Steve dormait déjà.

Chapitre 13

Un sauvetage

L'ombre des falaises qui, à l'ouest, dominaient la vallée envahissait le champ de cannes lorsque Steve et Pitch, à demi courbés, le longèrent à pas prudents.

« Vous n'auriez pas dû me laisser dormir, dit Steve d'un ton de reproche.

— Tu avais grand besoin de repos, répliqua Pitch d'une voix bourrue. D'ailleurs, nous avons encore quelques bonnes heures devant nous avant la nuit », ajouta-t-il en remontant son sac d'un coup de reins.

Il marchait sans perdre de vue la silhouette courbée en deux qui le précédait. Il fit quelques pas, puis, d'une voix où perçait l'inquiétude, il demanda :

« Ne crois-tu pas que ce cheval pie a changé de place ? Peut-être faudrait-il s'en assurer de nouveau ?

— Nous l'avons fait il y a un instant, dit Steve. Je crois qu'il vaut mieux continuer de marcher jusqu'à ce que le vent ne puisse plus lui porter notre odeur.

— Et s'il venait de notre côté pour s'abreuver ? insista Pitch mal à l'aise. Cette aventure ne me dit rien de bon, Steve. Le cheval pie est capable de tout, tu sais.

121

— Il ne peut pas nous voir, Pitch. Marchons encore un peu ; alors nous serons du côté opposé au vent et nous pourrons faire la pause sans danger. »

Pitch grogna un assentiment. Steve allongea le pas : il ne songeait guère au cheval pie ; seul Flamme occupait sa pensée, et il ne pensait qu'aux moyens de le sauver. Déjà il en avait écarté plusieurs comme tout à fait impraticables.

« Vous avez bien votre corde, Pitch ? demanda-t-il soudain.

— Oui, fit Pitch assez sèchement ; et, après un silence : Crois-tu qu'il soit vraiment nécessaire de sortir ton étalon de ce trou et de nous donner tout ce mal, Steve ? Plus j'y songe et plus je crains que nous ne nous engagions dans une affaire bien scabreuse. Que ferons-nous si le cheval pie se lance contre nous ? Laissons Flamme où il est. Que nous importe, après tout, que ce soit lui ou le cheval pie qui soit le chef du troupeau ? Je ne parviens pas à comprendre quelle différence cela peut faire. »

Sans répondre, Steve continua d'avancer jusqu'à ce qu'il pût apercevoir le bas de la vallée.

« Arrêtons-nous ici, dit-il, et tâchons de repérer le cheval pie. Après quoi nous prendrons à travers le marais. »

Déjà Pitch s'était redressé avec un soupir de soulagement.

« Ils se sont rapprochés du milieu de la vallée, chuchota-t-il, en se baissant. J'en vois un couple à moins de deux cents pas ! »

Steve leva prudemment la tête à son tour. Le cheval pie s'était avancé de leur côté, mais il broutait tranquillement, sans se douter de rien, semblait-il. Deux bêtes s'étaient détachées du troupeau et paissaient plus près d'eux : une jument baie et son jeune poulain, haut perché sur ses jambes grêles comme sur des échasses. Si la jument se tenait tranquille et ne hennissait pas, il y avait peu de chance que le cheval pie vienne de leur côté.

Steve savait bien qu'il aurait dû se cacher de nouveau, mais il ne pouvait détacher ses regards du jeune poulain. Celui-ci se pressait au flanc de sa mère ; de sa longue queue, la jument chassait les mouches qui le tourmentaient. Il ne devait guère avoir plus de deux semaines. Sa fine tête rappelait celle de Flamme. Ce poulain était sûrement son petit, et le troupeau en comptait bien d'autres.

« Que diable regardes-tu avec tant d'attention ? interrogea Pitch assez mal à l'aise. Partons, si tu es toujours décidé à aller jusqu'au bout ! »

Pitch avait levé la tête au-dessus des cannes. Avec Steve, il observa le poulain qui avait cessé de se frotter contre sa mère et allongeait le cou pour brouter. Ses jambes trop longues et son cou trop court ne lui permettant pas d'atteindre l'herbe, il s'agenouilla gauchement. Puis il mordit le gazon et, ne le trouvant sans doute pas à son goût, se releva et retourna vers la jument.

Pitch et Steve reprirent leur marche en silence. Quelques instants plus tard, Steve dit d'un ton rêveur :

« Ce poulain, Pitch, c'était tout à fait *lui*.

— Que veux-tu dire ?

— Je veux dire qu'il est bien du sang de Flamme.

— Sans doute.

— Ce n'est pas l'autre étalon qui donnerait des bêtes de cette race », dit Steve en insistant.

Pitch demeura un moment silencieux, puis remarqua :

« Si Flamme rejoint son troupeau, il sera un jour

détrôné, sinon abattu, par l'un de ses propres fils. Y as-tu songé ?

— Oui. J'y ai pensé, dit Steve gravement.

— Voilà qui devrait te faire comprendre l'inutilité de ton sauvetage.

— Mais, repartit Steve avec quelque lassitude, il se passera longtemps avant qu'un de ces poulains soit de force à battre Flamme ou le cheval pie. D'ici là, si le troupeau reste sous la coupe du cheval pie, la race va sûrement s'abâtardir, je vous l'ai déjà dit. Vous voyez bien que nous ne pouvons pas abandonner Flamme à son sort. »

Ils atteignirent le marais et Steve s'engagea sur la piste qui le traversait. Pitch s'arrêta net. Il semblait mécontent.

« Es-tu sûr qu'on peut marcher là sans risque ? » demanda-t-il d'un air méfiant.

Steve lui montra l'empreinte des sabots de Flamme et pressa le pas. Il lui tardait de regagner la mare où se débattait l'étalon, d'autant que, tout en marchant, il venait de trouver — du moins il le croyait — un moyen de l'en arracher.

Après avoir suivi le lit asséché du torrent, Steve et Pitch s'enfoncèrent dans la gorge. Enfin ils entrèrent dans le vallon mystérieux. À son tour Pitch fut saisi d'admiration pour la beauté et le calme du paysage.

Parvenu au ruisseau, Steve proposa une pause.

« Laissons nos sacs ici, Pitch, dit-il. Inutile de les porter plus loin. D'ailleurs, si nous devons camper ce soir, il vaudrait mieux revenir ici où nous aurons de l'eau.

— Sans doute, sans doute », dit Pitch impatient.

Il se délesta de son sac et prit les devants : il lui tardait d'en avoir fini avec cette aventure.

« Et votre corde, Pitch ? Où est-elle ? cria Steve. Nous allons en avoir besoin.

— Dans mon sac », répondit-il sans s'arrêter.

Steve prit la corde et, au pas de course, rattrapa son compagnon au moment où celui-ci atteignait l'entrée de la crevasse.

Pitch contempla les parois hérissées qui se dressaient devant lui et se tourna vers Steve.

« Te rends-tu compte, mon petit, que nous marchons sur les pas des conquistadors ? Ils devaient sûrement emprunter cette piste. Nous sommes les premiers... »

Comme ils descendaient la faille, ils furent accueillis par le vent qui soufflait en rafales, puis le grondement du ressac sur les rochers leur parvint. Toujours en tête, Pitch ralentit le pas en arrivant au tunnel où s'engouffrait le vent. Enfin il s'arrêta brusquement. Il venait de découvrir à son tour la vaste grotte aux parois curieusement colorées, traversée par le canal qui se jetait dans la mer.

Il caressa de la main les pilotis moussus en songeant aux hommes qui les avaient plantés là trois siècles auparavant. Comme l'avait fait Steve, il remarqua les mouvements de l'eau provoqués par le ressac. Bientôt il parvint à une trouée dans la falaise, d'où l'on avait une échappée sur l'océan. Il était de plus en plus intéressé par tout ce qu'il voyait.

« Mais, Steve, dit-il au comble de l'excitation, tu ne m'avais rien dit de tout cela ! C'est absolument extraordinaire ! Il existe sûrement au-dehors un chenal par où la mer monte jusqu'ici. Les Espagnols devaient pouvoir abriter leurs embarcations dans cette grotte. Ils en avaient probablement défendu l'accès au moyen de canons cachés dans des trous au-dessus et de chaque côté. Peut-être, en cherchant bien, pour-rons-nous les retrouver ?... »

Il se retourna, croyant que son compagnon l'avait suivi.

« Steve ! appela-t-il. Steve ! Où es-tu donc ? »

Mais le vacarme du vent et des flots couvrit sa voix.

Alors, il remarqua la grotte contiguë. Il y courut, et, quand ses yeux furent accoutumés à la demi-obs-curité, il distingua la grue, puis l'entonnoir, au bas duquel Steve était agenouillé près du corps apparem-ment sans vie de l'étalon à la robe feu.

Il descendit lentement. Plein de pitié, il considéra le cheval suspendu à une chaîne par la corde dont Steve avait fait une sorte de lasso. Était-ce là cette bête magnifique, orgueilleuse, indomptable, que Steve et lui avaient vue lutter contre l'étalon noir et le cheval pie ? Une seule de ses pattes de devant était encore posée sur le bord de la mare, l'autre pendait inerte au-dessus de l'eau. Sa robe était blanche d'écume.

« Pauvre bête ! dit Pitch. Il semble vraiment à bout de forces. »

Il s'approcha et entendit la voix de Steve. Il y avait dans ses intonations une douceur qui le surprit.

« Voilà, ça y est, Flamme, murmurait le jeune homme. Tu n'as plus besoin de te débattre à présent. Nous allons te tirer de là. Bientôt tu pourras galoper en liberté de nouveau. »

Tout en parlant, Steve caressait la tête du cheval, qui pendait languissamment, L'étalon s'efforça de redresser le cou, mais sa tête retomba aussitôt. Il n'essaya même pas de découvrir ses dents pour mordre tant il était épuisé.

« N'est-il pas déjà trop tard ? » se demandait Steve en voyant ses yeux ternes et son attitude affaissée.

D'un bond, il remonta au bord de l'entonnoir et appela :

« Pitch ! La grue ! Vite ! »

Pitch courut au treuil. Tous deux empoignèrent la manivelle et, unissant leurs efforts, ils parvinrent à enrouler la chaîne pouce par pouce, jusqu'à ce qu'enfin la croupe du cheval émergeât de l'eau et de la vase où celui-ci avait failli être englouti.

« Encore un peu, Pitch ! fit Steve haletant. Quelques tours de plus et nous le sortons tout à fait ! »

Redoublant d'énergie, ils achevèrent d'enrouler la chaîne autour du treuil. À présent, Flamme était suspendu par le nœud coulant qui passait autour de sa croupe ; ses sabots de devant reposaient sur le bord de la mare. Il tenta quelques ruades, mais s'arrêta bientôt, épuisé par son effort.

« Et maintenant, Steve ? interrogea Pitch perplexe.

— La corde ! répliqua Steve d'un ton bref. (Il savait bien ce qu'il allait faire à présent.) Il faut lui passer ceci au garrot, dit-il en déroulant vivement l'autre corde qu'il venait d'apporter.

— Et après ?

— Après ? Je halerai sa croupe à moi, tandis que vous laisserez descendre la chaîne. Mais faites doucement, Pitch. »

Celui-ci semblait un peu perdu parmi les explications de son ami.

« Si je comprends bien, dit-il, tu veux que je fasse tourner le treuil en sens inverse pour que la bête descende ?

— Inutile : le poids du cheval s'en chargera. Vous n'aurez qu'à veiller à ce qu'il tourne lentement en le bloquant de temps à autre avec le cliquet.

— Je ne vois pas du tout comment tu vas t'y prendre !

— Il faut simplement donner du mou à la chaîne pour me permettre de tirer l'arrière-train du cheval vers la berge au moment où vous le laisserez descendre.

— Je vois, fit Pitch. Tu veux le faire pivoter sur ses pattes de devant, tandis que tu tireras sa croupe vers toi ? Est-ce bien ça ? »

Steve fit « oui » de la tête. Il élargit le nœud coulant qu'il venait de faire, puis descendit au fond de l'entonnoir, suivi de Pitch.

Celui-ci retint son compagnon par la taille pendant qu'il lançait son lasso vers la croupe de l'étalon. Il dut s'y prendre à plusieurs fois avant de réussir à ceinturer l'animal. Cela fait, tous deux remontèrent au haut de l'entonnoir.

Alors Steve contourna l'entonnoir et commanda :

« Allez-y, Pitch, doucement, tout doucement !... »

Steve raccourcit la corde jusqu'à ce qu'elle fût bien tendue ; puis, s'arc-boutant contre un rocher, il attira vers lui la croupe de l'étalon aussi près que possible du bord de la mare.

Pitch bloqua le treuil, puis on recommença la manœuvre. Au quatrième essai, Steve parvint à haler le cheval jusqu'à ce que ses pattes de derrière touchent la terre ferme.

« Lâchez plus vite, Pitch ! » hurla-t-il.

On entendit le bruit du cliquet se précipiter jusqu'à ce que le nœud coulant pendît librement au ventre du cheval.

Un instant, celui-ci resta planté sur ses pattes, comme engourdi. Prestement, sans se soucier des cris de Pitch, Steve s'avança et dénoua les deux cordes ; puis il se rejeta vivement en arrière pour éviter une ruade possible.

Alors, Flamme grimpa péniblement jusqu'au bord

de l'entonnoir, s'ébroua et s'en fut en traînant la patte.

Steve allait s'élancer à sa poursuite, quand son ami le retint par le bras :

« Steve ! s'écria-t-il. Laisse-le aller ! Tu l'as promis ! »

Un éclair de colère passa dans les yeux du jeune homme.

« Mais, Pitch, cria-t-il, ses blessures ! Il faut que je les soigne !

— Il se soignera bien lui-même, répliqua Pitch sèchement. Rappelle-toi, Steve, tu m'as donné ta parole...

— ... *que je le laisserais aller librement,* acheva Steve d'un ton amer, *sans le poursuivre.* (Puis, après un temps de silence, il ajouta :) Vous avez peut-être raison, Pitch ; il n'a peut-être plus besoin de moi... »

Pourtant Steve prêtait l'oreille. Il entendait encore, mais de plus en plus faiblement, le bruit inégal des sabots de Flamme qui s'éloignait par le tunnel.

Il demeura immobile un moment, l'air triste et découragé. Quel sort attendait son cheval ? Le reverrait-il jamais ?

Chapitre 14

Un garçon
et son cheval

Ils s'étaient arrêtés devant la trouée qui donnait sur la mer. Derrière eux s'ouvrait la grande salle souterraine.

Avec une vive curiosité, Pitch examinait la trouée percée dans la paroi extérieure de la grotte, tandis qu'à quelques pas de lui, l'air absorbé, Steve considérait — sans le voir — le sable fin et très blanc de la salle. Il ne pouvait penser à rien d'autre qu'à Flamme.

« Tu ferais mieux de l'oublier, se disait-il, ou en tout cas de renoncer à le chercher. Tu as donné ta parole à Pitch. Tu ne peux pas revenir sur ta promesse. Pitch a fait tout ce qu'il pouvait pour t'aider. À toi de jouer le jeu à présent ! »

Steve leva les yeux vers son compagnon. Pitch lui faisait part de ses remarques au sujet de la trouée de la falaise. Déjà, il avait oublié Flamme, ou peut-être préférait-il simplement n'y plus penser. Il s'intéressait bien plus à l'entrée de la caverne et au canal qui aboutissait là. Quant à Steve, il ne cessait de discuter avec lui-même.

« Pitch voudrait que tu t'intéresses autant que lui à ses découvertes, se disait-il. Il désire que tu oublies

Flamme. Pense plutôt aux conquistadors et à l'usage qu'ils faisaient des grottes, des galeries et du canal vers la mer, ne pense plus à Flamme ! Mais comment Pitch peut-il croire que je l'oublierai si facilement ? À moins qu'il ne fasse semblant de le croire pour m'amener à l'oublier, et à partager sa passion pour l'histoire de la conquête espagnole ?

« Ton cheval est sauvé à présent ; c'est bien ce que tu voulais, n'est-ce pas ? Pitch t'a aidé : il faut que tu te montres aussi loyal que lui. Désormais, Flamme est libre d'aller où bon lui semble. Ce sont les paroles mêmes de Pitch : *Il faut le laisser aller où bon lui semble.* »

Inlassablement, Steve poursuivait son dialogue avec lui-même. Il trouvait sans cesse de nouveaux arguments.

« Oui, reprenait-il, mais quand j'ai donné ma parole à Pitch, j'espérais que l'étalon reviendrait vers moi... que je n'aurais pas à le chercher. Je m'imaginais qu'il comprendrait que j'essayais de le soigner... que je suis son ami. Le fait est que, plusieurs fois, je l'ai approché de très près. Il m'a semblé qu'il comprenait vraiment ce que je voulais faire. Mais à présent, Flamme est déjà loin, et je ne peux plus rien pour lui. »

La voix de Pitch interrompit la méditation morose du jeune homme :

« Steve, viens donc voir ! Il y a là quelque chose qui m'intrigue. D'après tout ce que nous avons vu, les Espagnols entraient et sortaient sans aucun doute par cette trouée. Mais dans ce cas, comment pouvaient-ils faire passer leurs chevaux ? Elle était assez large puisqu'elle mesure près de trois mètres ; mais elle n'a guère plus d'un mètre de haut. C'était insuffisant pour leurs montures. »

Ce disant, Pitch approcha plus près de l'entrée de la grotte et examina attentivement la mousse d'un vert foncé qui tapissait la paroi au-dessus de la trouée. « Je me demande... », dit-il, et, sans achever, il enfonça la main dans la mousse.

Steve le vit creuser hâtivement, jusqu'à ce qu'il l'eût ôtée, sur une assez grande surface.

« Mais il y a du bois là-dessous ! s'exclama-t-il. Du bois, Steve, juste au-dessus de l'entrée ! »

Et, des deux mains, il continuait de gratter.

Steve le considérait, ébahi. Il ne mesurait pas toute l'importance de la découverte de Pitch. Accroupi au bord du canal, penché à droite au-dessus de l'eau, celui-ci enleva la mousse sur un bon mètre en largeur comme en hauteur, puis il se redressa, dégagea la paroi à gauche sur la même surface. Steve vit alors un panneau rectangulaire que maintenaient, en haut et en bas, des poutres creusées de rainures. Une porte coulissante.

Vivement, Pitch se remit à creuser sur le côté de la trouée ; il découvrit enfin les trous pratiqués dans le panneau et grâce auxquels les conquistadors devaient le manœuvrer en le faisant glisser dans les rainures. Pitch y enfonça les doigts et tira de toutes ses forces. La porte tint bon. Il appela Steve. Ensemble, ils parvinrent à déplacer le panneau jusqu'à ce que tout le haut de l'entrée de la grotte fût libre ; alors, cette ouverture sur la mer se trouva mesurer près de trois mètres de haut.

« Et voilà ! déclara Pitch triomphant. Voilà qui explique comment les chevaux des Espagnols pouvaient passer ici ! »

Désignant alors l'autre côté du canal :

« Il y a sûrement là un autre panneau, expliqua-t-il. Les deux panneaux se rejoignent au-dessus du milieu du canal. Nous pourrions pénétrer dans cette grotte avec mon canot, Steve ! Le charger avec toutes nos trouvailles ! Rends-toi compte, mon petit, s'exclama-t-il, les yeux brillants : nous venons de trouver le chemin de cette vallée mystérieuse par la mer ! Nous devons être à la pointe nord de l'île. Ne penses-tu pas, Steve, que nous pourrions retrouver cette entrée avec le bateau ? »

Mais Steve n'écoutait pas. Depuis que Pitch lui avait démontré que même des chevaux pouvaient entrer dans la grotte et en sortir du côté de la mer, il n'avait plus rien entendu. Il ne songeait pas aux pur-sang des Espagnols, mais à Flamme. Ne pourrait-il pas amener un bateau jusque dans la grotte et y embarquer l'étalon ?

« Il ne faut pas même y songer, se dit-il aussitôt. C'est impossible. (Puis réfléchissant de nouveau :) Pourtant, Pitch vient de prouver que l'entrée de la grotte était accessible de la mer. Ne parlait-il pas d'amener là son bateau et d'y charger ses souvenirs de l'occupation espagnole ? »

Il se rappela sa promesse, et les raisons qu'il avait fait valoir pour que Pitch vienne l'aider à sortir l'étalon du marécage.

« Tu voulais que Flamme retourne vers son troupeau, n'est-ce pas ? Quelles belles paroles n'as-tu pas dites au sujet des pur-sang qui ne doivent pas dégénérer, et des merveilleux poulains de la vallée Bleue ? Parlais-tu seulement pour éblouir Pitch par tes connaissances sur les chevaux ? Tout cela n'était-il que des mots ? Ou bien étais-tu sincère ?

« Mais si, se dit Steve, j'étais sincère. Je ne parlais pas pour étaler mon savoir. En réalité tout ce que je souhaite, c'est que Flamme retrouve son troupeau, pour le guider et le protéger. Je déraisonne tout à fait quand je rêve de l'emmener avec moi. »

Tandis que Steve débattait en lui-même s'il tiendrait ou non sa promesse au sujet de Flamme, Pitch avait refermé la porte coulissante.

« Ce passage doit rester invisible de la côte, dit-il. Personne ne doit le découvrir. Nous pourrons toujours ouvrir cette porte quand nous voudrons pénétrer dans la grotte. À mon avis, le plus pressé, maintenant, est de retourner au youyou par où nous sommes venus.

— Bien sûr, Pitch, bien sûr ! dit Steve.

— Partons. »

Tout le long du chemin, en suivant la galerie jusqu'à la faille dans la falaise, Pitch, toujours très excité par sa dernière découverte, ne cessa de parler.

« Nous aurons tout le temps d'utiliser cette entrée de la grotte par la mer, expliqua-t-il. À notre prochaine visite, nous explorerons l'île à fond. Pour le présent, je tiens d'abord à m'assurer que nous pouvons regagner le youyou sans encombre ; ainsi nous aurons deux chemins pour atteindre la vallée Bleue.

— D'accord, Pitch », approuva Steve.

Pitch regarda son compagnon d'un air étonné.

« Tu n'as pas l'air très emballé par nos découvertes, dit-il. Je me demande si tu te rends bien compte...

— ... de leur importance ? acheva Steve. Mais oui, Pitch.

— C'est toujours le cheval qui te trotte par la tête hein ? »

Steve haussa les épaules.

« Eh oui, Pitch ! avoua-t-il. Pour moi, Flamme est aussi important que pour vous les souvenirs des conquistadors. J'ai beau faire, je ne peux pas l'oublier, même pour vous être agréable. »

Pitch prit un air sérieux :

« Je te comprends, mon petit. Mais je pense avant tout à ta sécurité, expliqua-t-il. Je dois exiger que tu tiennes ta promesse. L'étalon est dangereux. Il pourrait te tuer si tu l'approchais de trop près. Tu le sais bien. Pourquoi ne pas en convenir ? Ce serait tellement plus agréable pour nous deux. »

Steve jugea inutile de reprendre la discussion à ce sujet. Quant à lui, il était persuadé qu'à présent Flamme ne lui ferait aucun mal.

« Pitch, je vous ai promis de ne plus poursuivre Flamme, se contenta-t-il de répondre. Je tiendrai parole.

— Dans ce cas, tu ne dois pas essayer de soigner ses blessures, murmura Pitch. (Puis il observa :) La nuit tombe. Heureusement, nous allons camper ici. Je n'aimerais pas retourner à la vallée Bleue en traversant le marais à cette heure. »

Ils étaient parvenus au bas de la faille ; le vallon s'étendait devant eux. Ils aperçurent Flamme ; dans l'herbe jusqu'aux genoux, il buvait avidement au ruisseau. Sa crinière lui retombait sur la tête.

Pitch et Steve s'arrêtèrent net. Pour des raisons opposées, ni l'un ni l'autre n'osa faire un pas de plus : Pitch redoutait une attaque de l'étalon, tandis que Steve craignait que Flamme ne s'enfuît s'il les sentait approcher.

« Qu'allons-nous faire ? demanda Pitch. Il serait imprudent de camper si près de lui. »

Steve ne répondit pas ; toute son attention était concentrée sur le cheval.

« Nous pourrions retourner à la grotte et y passer la nuit, suggéra Pitch.

« — Si vous voulez, dit Steve. Mais il nous faut nos sacs pour camper. Et nous avons besoin d'eau. Non, Pitch, restons ici. Soyez tranquille, il ne nous fera aucun mal, j'en suis sûr. »

L'étalon leva la tête et pointa les oreilles. Sans faire un mouvement, il regarda de leur côté et les observa un long moment, puis il se remit à paître.

« Vous voyez, Pitch, s'exclama Steve. Nous n'avons rien à craindre de lui. Il nous a vus et ne s'est pas éloigné. On dirait qu'il s'habitue à nous. »

Pitch s'était remis à parler, mais Steve ne l'écoutait plus. Il avait retrouvé son cheval ! Flamme était là, à moins d'une centaine de pas ! Mieux, et c'était le plus important, il ne s'était pas enfui à leur vue, comme s'il acceptait leur présence, sachant qu'il leur devait la vie.

« Qu'est-ce qui te prend, Steve ? Tu ne m'écoutes même pas ! » dit Pitch ; puis, frappé par l'éclat soudain du regard de son jeune ami, il devina le combat qui se livrait en lui.

Steve s'avança vers l'étalon.

« Steve ! Tu m'as promis de ne pas l'approcher ! N'oublie pas !

— Je vais seulement chercher nos sacs, Pitch, cria Steve sans même se retourner. Je n'ai pas l'intention de le poursuivre. J'ai promis.

— Steve, prends garde ! Il pourrait... »

Sans répondre, le garçon avança du côté des sacs... et de l'étalon. Pitch, interdit, ne fit pas un mouvement ; il ne savait que faire, mais il ne quittait pas Steve des yeux.

Celui-ci s'était mis à parler à son cheval. Au moment où il allait prendre les sacs, l'étalon cessa de brouter ; il tourna vers Steve sa petite tête au nez allongé. Ses yeux avaient perdu leur éclat ; seules ses narines dilatées et frémissantes montraient qu'il avait encore peur de l'homme. Pourtant il se remit à paître tranquillement.

Steve était au comble de la joie.

« Il m'a reconnu, se disait-il ; il sait que je ne lui veux aucun mal ; donc la bataille est à moitié gagnée. Si seulement je pouvais aller jusqu'au bout en veillant sur lui aussi longtemps qu'il sera mal en point. Si seulement je n'avais pas donné ma parole à Pitch ! Je voudrais tellement le soigner !

« Mais non, n'oublie pas ton serment, se dit-il. Tu as juré à Pitch de ne plus poursuivre Flamme, et même de ne plus l'approcher !

« Cependant, si c'est Flamme qui vient vers moi ? Si je ne bouge pas, alors je n'aurai pas trahi la confiance de Pitch...

« Mon pauvre Steve, tu dis des sottises. Même après tout ce que tu as fait pour lui, il ne viendra sûrement pas jusqu'à toi !

« Et pourquoi pas, après tout, ne viendrait-il pas vers moi ? Il ne s'est pas sauvé, n'est-ce pas ? Il n'a même pas bougé alors que je m'approchais. Il sait que je ne suis pas son ennemi, que je l'ai secouru, sinon il serait déjà parti. »

Steve se retourna vers son compagnon. Celui-ci était resté immobile là où il l'avait laissé.

« Si seulement il m'avait suivi, pensa Steve, j'aurais pu lui demander de me permettre... Je ne peux pas revenir en arrière maintenant. Il faut que je demeure ici, près de mon cheval. »

Tout en avançant, Steve continuait de parler à l'étalon, de l'appeler par son nom. Il avait l'impression que, pour l'écouter et le regarder, Flamme s'arrêtait parfois de brouter.

Le jeune homme entendait bien les cris de Pitch

qui le rappelait, mais comme s'ils s'adressaient à un autre. Si Pitch voulait bien le rejoindre, il pourrait discuter avec lui, le prier de le dégager de son serment. Il lui expliquerait que c'était le moment ou jamais de gagner la confiance de l'étalon : celui-ci était trop las, trop meurtri pour s'enfuir. Steve n'en doutait pas : Flamme serait sensible à ses avances.

Au bout d'un moment, l'étalon s'avança vers lui en mâchonnant un peu d'herbe.

« Je serai patient, se dit Steve. Il viendra jusqu'à moi, j'en suis sûr, mais il faudra du temps. Ainsi je n'aurai pas manqué à ma promesse. Je suis venu prendre les sacs, à la demande de Pitch lui-même, mais je ne lui ai pas promis de revenir tout de suite.

« Ohé, Flamme ! C'est moi, Steve. Tu n'as plus peur à présent. Je savais bien que tu viendrais. Je t'attends, Flamme. Je t'attendrai tout le temps qu'il faudra. Approche encore un peu et je pourrai te soigner, Flamme. Tu es malade pour le moment, mais avant peu tu seras rétabli. »

L'étalon n'était plus qu'à vingt pas de Steve, à présent ; celui-ci pouvait distinguer les veines qui saillaient sur son encolure puissante. Les oreilles du cheval étaient pointées en avant. Il avait cessé de mâchonner l'herbe qui lui sortait de la bouche, pour écouter, semblait-il, la voix du garçon. Elle lui rappelait celle qu'il avait entendue si souvent au cours des dernières heures. Ses grands yeux regardèrent Steve avec curiosité. Encore quelques minutes, et Steve pourrait le toucher. Il se remit à lui parler, la main tendue.

L'étalon s'arrêta à quelques pas de Steve pour brouter. N'y tenant plus, le jeune homme s'avança doucement vers l'animal, puis il se ravisa ; il valait mieux laisser le cheval approcher de lui-même. Le cœur bat-

tant, Steve attendit ; il avait grand-peine à maîtriser son émotion, tandis qu'à mi-voix il continuait de parler à l'étalon. Sans relever la tête, celui-ci approcha de la main tendue vers lui. Doucement, très doucement, Steve caressa ses naseaux : la peau en était douce. La bête se laissa faire sans essayer de mordre.

Ému jusqu'aux larmes, Steve murmurait en continuant de flatter l'étalon :

« Tu es à moi, Flamme. Tu es venu à moi tout seul, comme je l'espérais, comme il le fallait. »

Tout en parlant, Steve examinait les blessures de l'animal. Une seule l'inquiétait sérieusement, celle de la cuisse où la chair, mise à nu, avait été salie par la vase de la mare. Il fallait la nettoyer, sinon elle s'infecterait. Les autres commençaient déjà à se cicatriser.

Steve passa une main dans la crinière tachée de sang. Avant de soigner la blessure du cheval, il fallait attendre que celui-ci fût tout à fait en confiance avec lui.

Flamme se remit à manger ; Steve l'accompagna, toujours en lui parlant à mi-voix.

Entre-temps la nuit était tombée. Steve entendit Pitch qui l'appelait. Il tourna la tête.

« Tout va bien, Pitch, dit-il. Vous voyez, il m'a reconnu. Il est venu à moi de lui-même. Je n'ai pas eu à le poursuivre cette fois. J'ai tenu parole.

— J'ai vu, Steve, fit Pitch résigné. Je sais ; je sais *à présent.* »

Ce fut tout, et quand Steve se retourna de nouveau, il vit que son compagnon avait ouvert les sacs et se disposait à préparer le souper.

Flamme s'éloigna lentement. Steve fit quelques pas avec lui, le flattant de la main et continuant à lui parler.

« Demain, Flamme, je te soignerai, dit-il. Ce soir il fallait commencer par nous habituer l'un à l'autre. »

Quand la flamme du réchaud de Pitch s'éleva dans la nuit, elle éclaira deux silhouettes qui avançaient côte à côte : un garçon et son cheval.

Chapitre 15

Naissance
d'une amitié

Pitch venait de s'éveiller. Couché sur le dos, il contemplait les étoiles qui fourmillaient au ciel. La lune brillait au-dessus des falaises. Il se tourna vers les couvertures étendues à côté de lui, sachant d'avance qu'il n'y trouverait pas son compagnon. Il se demanda même si Steve se coucherait cette nuit-là.

Un hennissement lui fit tourner la tête. Au clair de lune, la silhouette du cheval se découpait sur la falaise. Steve se tenait debout près de lui ; dans le silence de la nuit, Pitch entendit le jeune homme qui, doucement, parlait à l'étalon.

« Est-ce qu'il va rester là toute la nuit ? Ne va-t-il pas venir se coucher ? » se demanda Pitch. Il sentait ses paupières s'appesantir ; il était brisé par les efforts et les émotions de la journée. Pourtant son esprit était en éveil. Il s'efforça de se calmer.

« Inutile de te tourmenter plus longtemps à propos de Steve, se dit-il. Ce serait stupide. L'étalon ne lui fera certainement aucun mal. Tu l'as vu de tes yeux. Leur entente te paraît mystérieuse, elle n'en est pas moins réelle. Tu as bien vu le cheval venir à Steve de lui-même. Désormais il est à lui. Qui sait s'il n'en a pas toujours été ainsi ? Peut-être que Steve connaît Flamme depuis son enfance. Peut-être est-ce l'étalon qui lui est apparu dans son rêve ? Quoi qu'il en soit, tu ne peux douter, après tout ce que tu as vu aujourd'hui, que Steve ait conquis son amitié. N'as-tu pas lu qu'entre l'homme et le cheval s'établissent parfois des liens aussi solides que ceux qui unissent de vieux amis ? Tom a beau dire que c'est "du roman", Tom avec ses grosses pattes et sa terrible chambrière, Tom qui ne connaît qu'une méthode pour dresser un cheval sauvage : *le mater soi-même, lui montrer qui de lui ou de vous est le maître !*

« Je me demande ce que Tom dirait de tout ce que j'ai vu aujourd'hui. En croirait-il ses yeux ? Mais Tom n'aurait jamais la patience de Steve, jamais il n'aurait attendu que l'étalon vienne à lui, conquis par sa gentillesse et par ses soins.

« C'est surtout par la voix que Steve a gagné la confiance de Flamme. Ce n'est certes pas Tom qui pourrait lui parler ainsi, même s'il le voulait. C'est vraiment la voix du cœur. Une mère ne parlerait pas avec plus de tendresse à son enfant.

« Allons, n'y pensons plus, se dit Pitch, furieux de ne pouvoir se rendormir. Peut-être que Steve pourra se passer de sommeil cette nuit, mais pas moi ! Tu te fais vieux, mon garçon. Ne t'inquiète donc pas pour Steve ! Laisse là tout souci, et si tu dois penser à quelque chose en attendant que le sommeil vienne, pense plutôt à ta découverte de cet après-midi, à ce canal dans la grotte, et à tout ce que tu pourrais trouver encore dans la vallée Bleue. Demain tu pourras commencer à chercher le meilleur moyen de regagner le youyou, pendant que Steve restera près de son cheval. Il faut l'admettre : à présent, pour lui, rien n'est plus important. »

Après avoir ruminé de la sorte, Pitch sentit ses yeux s'appesantir de nouveau, et sans plus attendre que Steve vienne se coucher, il s'endormit d'un profond sommeil.

Quand il rouvrit les yeux, l'aube grise avait éteint les étoiles au firmament. Tout d'abord, il se demanda où il était et ce qu'il faisait là, quand un hennissement de l'étalon le rappela brutalement à la réalité. Il se tourna vivement vers les couvertures étendues près de lui ; Steve n'était plus là, mais elles étaient froissées : le garçon avait donc dormi à son côté pendant quelques heures au moins.

Jetant un coup d'œil vers la falaise, il vit le réchaud déjà allumé. À une centaine de pas, Steve, une gamelle à la main, observait l'étalon ; puis il revint vers le réchaud. Pitch se leva et le rejoignit.

« As-tu veillé toute la nuit ? demanda-t-il.

— Oh non, j'ai dormi un peu, dit Steve en posant sa gamelle.

— Que diable as-tu donc fait tout ce temps ?

— Il a une vilaine blessure à la cuisse gauche, expliqua Steve. Elle était très sale ; je viens de la nettoyer. »

En effet, la trousse de premiers secours avait été ouverte et le paquet de gaze entamé.

« Je me suis servi d'eau bouillie et de savon, dit le jeune homme en refermant la trousse. Je lui mettrai de la teinture d'iode un peu plus tard.

— Crois-tu qu'il la supportera ? objecta Pitch. Ça va le rendre furieux. Y as-tu songé ? En un instant, tu risques de détruire le résultat de toute la peine que tu as prise. »

Steve hocha la tête. Il semblait fatigué et avait l'air inquiet.

« J'ai bien pensé à l'étendre d'eau, dit-il.

— Tu as dû avoir déjà beaucoup de mal pour laver sa blessure ?

— Un peu », fit Steve laconique et soucieux avant tout de ne pas alarmer son compagnon.

Pitch devinait bien que le garçon ne lui avouait pas toute la vérité. Passe encore pour des caresses ; mais nettoyer une plaie à vif sur un étalon sauvage était une tout autre affaire !

« Déjeunons ; je meurs de faim », dit-il avec une bonne humeur affectée.

Tandis que Pitch faisait bouillir de l'eau, Steve ouvrit une boîte de jambon et battit les œufs en poudre pour une omelette. Tout à leurs préparatifs et à leurs pensées, ils n'échangèrent pas un mot. Enfin, quand le déjeuner fut prêt et qu'ils eurent commencé à manger, Pitch rompit le silence.

« Je suppose que tu désires rester ici, près de lui, dit-il. (Et, sans attendre la réponse, il ajouta :) Je crois que je vais retourner à la vallée Bleue. Il y a par là des grottes que je voudrais visiter. Je ne serais pas surpris d'y dénicher des vestiges de grand intérêt.

— Mais, Pitch... je pensais que nous allions... (Steve s'interrompit, puis d'un ton plus ferme, il reprit :) N'avez-vous pas dit hier soir que nous allions tenter de regagner le youyou ?

— Ça ne presse pas tellement, après tout, répliqua Pitch. Du reste, il se pourrait que je trouve par la même occasion le meilleur moyen d'y parvenir. (Il sourit pour rassurer son ami et poursuivit :) Ne crains rien, je ne risque plus de me perdre. Nous avons payé assez cher notre apprentissage de l'orientation !

— Mais, Pitch...

— Tu ne ferais que me gêner, Steve. Seul, je gagnerai du temps. Après tout, Flamme t'intéresse plus que n'importe laquelle de mes découvertes, n'est-ce pas ? Allons chacun à nos affaires, ce sera bien ainsi. »

Steve scruta le visage de son compagnon avant de répondre.

« Je serai de retour au camp ce soir, Pitch, dit-il enfin. (Puis se mettant à manger, il dit presque à voix basse :) Merci, Pitch.

— J'attendrai seulement pour partir que tu lui aies appliqué la teinture d'iode. Tu pourrais avoir besoin d'un coup de main.

— Peut-être bien », répondit Steve en jetant un regard à son cheval qui broutait à quelque distance.

Dès qu'il eut déjeuné, Steve prépara une solution de teinture d'iode.

« Tu l'as coupée d'eau par moitié, au moins ? interrogea Pitch. Ça va quand même lui cuire cruellement ! (Et, toujours inquiet, il ajouta :) Ne crois-tu pas qu'il vaudrait mieux laisser la blessure guérir d'elle-même ?

— Impossible, répliqua Steve. À présent, elle pourrait s'infecter très vite. »

Pitch n'insista pas. Tous deux demeurèrent assis un moment à suivre du regard les mouvements du cheval ; puis Steve sortit un rouleau de gaze de la trousse de pansements ; il en coupa un long ruban qu'il plia et replia avec soin ; enfin, il prit sur le réchaud la solution de teinture d'iode qu'il avait fait tiédir.

Laver la blessure que Flamme avait à la cuisse avait été un exploit : avec une patience infinie, Steve s'était tenu debout plusieurs heures près de l'étalon, flattant son encolure, lui parlant à mi-voix jusqu'à ce qu'il pût nettoyer la plaie. Appliquer de la teinture d'iode, même très diluée, serait infiniment plus dangereux. Surpris par la soudaine brûlure, le cheval pourrait lancer de redoutables ruades ; peut-être même ne voudrait-il plus jamais se laisser approcher ?

« Tu y vas maintenant, Steve ? » demanda Pitch non sans inquiétude.

Sans répondre, Steve s'éloigna. Pitch le suivit d'un regard soucieux. Il l'entendit appeler Flamme qui broutait à quelque cinquante pas de là. L'étalon leva la tête, puis se remit à paître, semblant ignorer la présence du garçon ; cependant, sans cesser de manger, il avança vers lui. Steve n'essaya pas de cacher son récipient à teinture d'iode, ni son tampon de gaze. Le voyant approcher avec ces objets insolites, l'étalon le regarda, souffla avec bruit, puis s'éloigna. Steve le suivit sans hâte, tout en lui parlant.

Flamme s'arrêta au ruisseau pour s'abreuver. Alors Steve trempa sa gaze dans la solution antiseptique, posa à terre son récipient, puis s'approcha du cheval.

Il le flatta d'une main, sans qu'il cessât de boire, et de l'autre puisa de l'eau dans le ruisseau et lui mouilla la crinière. Après quoi, il lui caressa le garrot. Enfin, il atteignit la hanche. Sa main se trouvait juste au-dessus de la blessure à vif. Tenant le tampon dans sa main droite, il hésita un instant avant de l'appliquer sur la plaie, sachant qu'il ne pourrait le faire une seconde fois. En outre, il lui faudrait tenir la gaze sur la blessure aussi longtemps que possible : il ne s'agissait plus de bassiner simplement la plaie comme il l'avait fait le matin.

Soudain, Flamme cessa de boire, frappa le sol d'un de ses sabots de derrière et fouetta l'air de sa queue, puis il alla paître un peu plus loin. Steve le suivit, la main toujours posée sur le garrot.

L'étalon s'arrêta enfin. De nouveau, Steve regarda la plaie, puis le tampon de gaze. Le moment d'agir était venu. Le visage tendu, il avança la main vers la blessure ; toujours murmurant et appelant le cheval par son nom, il posa le tampon sur la plaie et appuya ferme.

Sur le moment, l'étalon ne bougea pas, mais quand il sentit la teinture d'iode pénétrer au vif, il renâcla, fit brusquement un écart de côté et s'éloigna d'un pas allongé et rapide jusqu'au pied de la falaise ; alors, se tournant vers Steve, il jeta un long cri, comme pour marquer son ressentiment ; enfin il se remit à paître.

« Ça l'a brûlé quelques secondes, mais il n'a pas réagi comme je le craignais, pensa le garçon. Et maintenant la chose est faite. »

« Bravo, Steve ! Tu t'en es tiré à merveille, mon garçon », dit Pitch derrière lui.

Steve se retourna et lui sourit. Il était rayonnant.

Peu après, Pitch partit comme il l'avait décidé. Steve le vit traverser la vallée, puis s'enfoncer dans la gorge. Quand Pitch eut disparu, il s'assit sur ses couvertures. Longtemps il regarda Flamme qui s'était remis à brouter à quelques centaines de pas.

« Mieux vaut le laisser tranquille encore un peu de temps, se dit-il. Si je ne le poursuis pas, peut-être reviendra-t-il de lui-même ? »

De gros nuages montaient au ciel ; pourtant le soleil matinal les traversait et réchauffait le haut de la vallée. Steve, frileux d'avoir peu dormi, l'accueillit avec joie. Il s'allongea sur ses couvertures, la tête tournée vers l'étalon. Celui-ci avait quitté l'ombre de la falaise pour le soleil qui donnait à sa robe des reflets de feu. Il ne cessait de se fouetter les flancs de sa queue.

« Les mouches ! murmura Steve. Les voilà qui commencent à le tourmenter. »

Ses yeux se fermèrent. Il était rompu.

Il se dit qu'après un moment de repos, il retournerait vers son cheval. La nuit avait été épuisante, mais bien employée. Il ne voulait pas dormir, seulement se reposer un moment. Il lui restait beaucoup à faire pour apprivoiser l'étalon. Plus il serait avec lui et plus vite le cheval s'accoutumerait à sa présence et oublierait la brûlure du désinfectant.

Les yeux clos, Steve demeura allongé au soleil dans une torpeur délicieuse. Bientôt il s'endormit profondément. Tout à coup, il sentit sur son visage quelque chose de chaud et d'humide. Il ouvrit des yeux étonnés sans penser un instant à Flamme. Le cheval était près de lui, broutant paisiblement. Steve comprit qu'il avait dû lui frôler le visage pendant qu'il dormait. Il se garda bien de faire le moindre mouvement.

« Ne bouge pas, se disait-il. Prends-le par la douceur. Fais comme si sa présence à tes côtés te semblait normale, comme si vous aviez toujours été ensemble. Tu peux te relever et t'asseoir maintenant. Il se sent de l'amitié pour toi, sinon il ne serait pas là. Voici qu'il s'habitue à toi ! »

Steve se mit à parler doucement à son cheval tout en examinant ses blessures. Sauf celle de la cuisse, elles étaient en bonne voie de guérison. Flamme leva la tête et secoua sa crinière ; un frémissement parcourut tout son corps. Les mouches volaient autour de lui ; il les chassa de la queue, souffla bruyamment, puis s'éloigna vers le bas de la vallée. Là, il se coucha avec précaution et se roula sur le dos, battant l'air de ses longues jambes avec de petits renâclements de plaisir.

Steve attendit, pour se rapprocher de l'étalon, que celui-ci se fût relevé et secoué. Alors il examina, non sans appréhension, la blessure qu'il avait soignée et, à son grand soulagement, la trouva propre : elle était trop bas sur la cuisse pour avoir touché le sol.

Doucement il promena sa main sur le dos de l'étalon en remontant vers la crinière, flatta son cou puissant et sa petite tête qui, vivement, se redressa à ce contact.

Flamme tourna de part et d'autre des yeux étincelants, sans bouger toutefois ; alors, apparemment rassuré, il se remit à paître.

Pendant de longues heures, Steve demeura près du cheval, lui parlant comme à un être humain. Il l'accompagnait chaque fois qu'il se déplaçait, tandis que le soleil tournait au ciel et commençait à décliner. Maintes fois, alors qu'il caressait du regard ce corps luisant, ces membres vigoureux, les muscles puissants du garrot, des épaules et du poitrail, la tête et le cou finement modelés du pur-sang, il essaya d'imaginer ce qu'éprouverait le cavalier assez audacieux pour le monter. Pas trop souvent, ni trop longtemps, bien sûr. Mais pour le moment il fallait se contenter de marcher à son côté.

Cependant Steve ne pouvait s'empêcher de rêver... et il ne s'en priva pas tout au long de cette journée. Il se voyait parcourant la vallée sur le dos de Flamme ; même parfois, il lui semblait sentir rouler entre ses genoux les muscles de la bête...

Quand le soleil eut décliné derrière les falaises, Steve quitta son cheval.

« Je vais tout laisser ici, se dit-il ; je reviendrai

demain. Je n'emporterai que ma couverture... Pitch aura bien emporté des vivres pour nous deux. »

Il s'approcha de Flamme, lui tint compagnie quelques minutes encore, puis il prit à regret le chemin de la gorge qui devait le ramener à la vallée Bleue. Il n'était pas encore très loin quand il entendit le cri aigu de Flamme ; et, se retournant, il le vit venir vers lui sans hâte.

Steve s'arrêta, Flamme fit de même et se mit à brouter. Mais les ombres s'allongeaient et Steve se dit qu'il lui fallait partir sans plus tarder s'il voulait rejoindre Pitch avant la nuit. Il s'éloigna, suivi de l'étalon, et cette fois ne s'arrêta qu'à l'entrée de la gorge. Alors il se retourna, s'approcha du cheval et lui caressa les naseaux.

« Je reviendrai, Flamme, dit-il. Je reviendrai demain. »

L'étalon hennit doucement et fourra son nez dans le creux de la main qui le flattait. Steve lut dans ses grands yeux comme de l'étonnement. Il fallait partir cependant... Le garçon commença à gravir la pente qui menait à la gorge ; à ce moment l'animal s'arrêta brusquement, fit un écart et retourna vers la vallée.

« Demain ! demain ! cria Steve, avant de s'enfoncer dans la gorge. Et après-demain, et le jour suivant, se dit-il. Oh ! si je pouvais rester toujours près de lui !... *Toujours !...* »

Chapitre 16

Des ailes aux sabots

« Demain et après-demain... et le jour suivant. »

Cinq jours passèrent : tous les matins, dès l'aube, Steve revenait au vallon. Il ne vivait que pour les heures qu'il passait avec son cheval. Il ne mesurait la fuite du temps que par l'aspect des blessures de Flamme. Les croûtes durcirent, se craquelèrent, puis se détachèrent petit à petit de la peau neuve.

Tous les soirs, de retour à la vallée Bleue, Steve décrivait à Pitch les progrès de la guérison de Flamme, et ses façons de plus en plus confiantes. Tout d'abord, Pitch s'était bercé de l'espoir que la passion de son jeune ami pour l'étalon se refroidirait ; mais, une fois de plus, il s'aperçut qu'il n'avait pas mesuré la force des liens qui unissaient le garçon et le cheval. À mesure que les jours passaient, Steve lui parlait de Flamme avec un enthousiasme croissant.

Pitch l'écoutait patiemment. Un soir il lui montra ses propres découvertes : un sextant, un pistolet à poignée damasquinée, des balles, un poignard... Mais Steve regardait d'un œil distrait tous ces objets qui faisaient l'orgueil de son ami. Il ne pensait qu'à son cheval ; il parut même assez indifférent lorsque Pitch lui dit que les galeries souterraines n'avaient pour ainsi dire plus de secrets pour lui et qu'il était certain de pouvoir retrouver le youyou. Le garçon semblait décidé à ne plus quitter la vallée et à demeurer avec Flamme.

Pitch ne réussit à retenir l'attention de son ami qu'au moment où il lui fit part des soucis que lui causait le cheval pie. Celui-ci l'empêchait d'explorer librement certains endroits de la vallée, et Pitch le redoutait un peu plus chaque jour.

« Sait-on jamais ? dit-il à Steve. Un beau jour, la fantaisie pourrait lui prendre de s'attaquer à moi à l'improviste ! Or, je suis convaincu que des fouilles dans la vallée permettraient des découvertes intéressantes. Encore faudrait-il en chasser ce cheval noir et blanc. Si seulement Flamme reprenait sa place à la tête du troupeau ! poursuivit-il en regardant Steve avec insistance. Penses-tu qu'il soit bientôt en état de le faire ? »

Mais Steve avait haussé les épaules et s'était empressé de changer de sujet de conversation.

Le lendemain, à l'aube, Steve reprit le chemin du vallon. Tout en marchant, il s'interrogeait : « Faut-il essayer aujourd'hui ? Ai-je patienté assez longtemps ? Flamme me laisse peser sur lui de tout mon poids ; jamais il ne s'est cabré. Quelle différence trouvera-t-il si je l'enfourche au lieu de m'appuyer sur lui ? Je voudrais seulement essayer de m'asseoir sur son dos. »

Les premiers jours, Steve avait trouvé ce rêve insensé, puis, peu à peu, il avait été pris d'un désir passionné de monter l'étalon, de presser son garrot puissant entre ses genoux. Aussi, durant de longues heures, avait-il marché patiemment à côté de Flamme, pesant de plus en plus sur lui.

Dès qu'il fut à l'entrée du vallon, Steve aperçut le cheval au milieu de la plaine. Déjà il s'était tourné de son côté, les oreilles et le cou tendus en avant.

Steve l'appela ; l'étalon fit retentir le vallon de son cri strident et s'élança vers lui au souple galop de ses jambes nerveuses, sans hésiter et sans s'arrêter pour brouter comme il faisait les premiers jours. Il traversa la plaine en un éclair, faisant flotter au vent sa queue et sa crinière, puis, au bas du raidillon qui conduisait à la gorge, il s'arrêta. Alors, il secoua la tête et hennit à plusieurs reprises, les yeux fixés sur Steve.

C'était la première fois que le cheval venait à la rencontre du garçon à l'entrée de la gorge. Steve s'approcha de lui et, tout en lui parlant, enfouit ses deux mains dans sa crinière.

Au bout de quelques minutes, le cheval baissa la tête vers le gazon ; Steve le caressa le long du dos tout en examinant ses blessures. Elles étaient cicatrisées sauf celle de la cuisse, recouverte à présent d'une croûte épaisse et sans aucune trace d'infection. Dans quelques jours elle serait tout à fait guérie.

Steve appuya les deux mains sur le dos de l'étalon et pesa sur lui de toutes ses forces.

« Ne bouge pas, Flamme », dit-il.

Flamme leva la tête, le regarda, puis se remit à paître. De nouveau, Steve se pencha sur le cheval. À mesure que l'instant décisif approchait, ses gestes devenaient nerveux et gauches. L'étalon se remit à piaffer pour se débarrasser des mouches.

« Pas facile de le monter, se dit Steve. Il est beaucoup trop haut pour moi. »

Il regarda autour de lui. Au pied de la falaise, il avisa un rocher assez plat sur lequel il pourrait grimper pour enfourcher l'étalon. Il se dirigea de ce côté. Le cheval le suivit aussitôt.

Le rocher convenait parfaitement. Steve se jucha dessus et, des deux mains, s'appuya sur le dos de l'animal. Celui-ci le regarda avec de grands yeux étonnés.

« Le voici tout à fait en confiance avec moi, se dit Steve. Il ne craint plus que je lui fasse mal. Je vais m'appuyer plus encore, puis je l'enfourcherai... Mais attention !... Je ne dois pas sauter dessus. Pas de mouvements brusques ! »

Cette fois, il n'était plus question d'hésiter. Steve allait enfin monter son cheval !

« Prends garde ! empoigne sa crinière, se dit-il. N'oublie pas que tu n'as ni bride ni selle... Rien que ta voix... Parle-lui sans arrêt. »

Déjà il avait passé une jambe par-dessus le cheval ; se couchant presque sur l'encolure, il leva l'autre pied de dessus son montoir. Il serra entre ses genoux le garrot de la bête et enfouit ses mains dans la longue crinière.

Steve sentit les muscles de l'étalon rouler sous ses genoux. Il se remit à lui parler, s'efforçant désespérément de contenir le tremblement de sa voix. Flamme cessa de manger ; il fit quelques pas de côté, puis, soudain, bondit en avant.

Couché sur l'encolure, Steve n'avait que sa voix pour modérer la fougue de l'étalon.

« Flamme ! Flamme ! » criait-il pendant que le cheval allongeait son galop ; mais le vent emportait ses cris.

Durant quelques minutes, Flamme courut, les oreilles rabattues en arrière, mais sans ruer ni se cabrer pour se délester de son cavalier. Penché en avant, celui-ci lui criait :

« C'est moi ! Flamme ! C'est moi ! »

Bientôt ils arrivèrent au ruisseau ; contrairement à l'attente de Steve, le cheval ne le sauta pas ; il fit un brusque crochet sur sa gauche. Steve tint bon. Toujours couché sur l'encolure de Flamme, il jouissait intensément du contact des muscles puissants qui se gonflaient sous ses genoux. Pour la première fois il éprouvait la sensation merveilleuse, que seuls connaissent les cavaliers, de faire corps avec sa monture. Il lui semblait même que leurs pensées et leurs sentiments étaient communs : le cheval et le garçon couraient parce que la course était pour eux un besoin naturel.

Bientôt, Steve se surprit à claquer de la langue pour accompagner le rythme des sabots de l'étalon frappant le sol avec un bruit de tonnerre. Toute cette aventure surpassait ses rêves les plus extravagants : cette première course sur un cheval non dressé était tout autre chose que de l'équitation avec une bête de manège ; il volait comme si son étalon avait des ailes ! Les mouvements de Flamme lui semblaient d'une aisance et d'une légèreté merveilleuses. Il avait l'impression que Flamme et lui avaient toujours galopé ensemble.

Steve se laissait emporter, ivre de vitesse, inconscient du danger. La tête penchée sur le cou lustré du cheval, il clappait doucement de la langue. Il sentait sous ses genoux une puissance contenue : il savait que l'étalon était loin de courir de toute la vitesse dont il était capable.

Flamme galopait les oreilles pointées, rabattant l'une d'elles ou toutes les deux en arrière lorsque Steve lui parlait. Finalement, il ralentit le train et courut d'un pas allongé.

Quand ils furent à l'entrée de la gorge, le cheval

fit un crochet et s'ébroua ; il repartit vers le milieu du vallon, prit le petit galop et se mit à caracoler. Enfin il s'arrêta et commença à brouter. Alors, Steve se glissa à terre et, un peu étourdi, demeura tout près de sa monture. Jamais, jamais plus il ne pourrait se séparer de Flamme !

Pour lui, maintenant, rien ne comptait plus que son cheval. Il était prêt à tout pour le garder. À quoi bon se payer de mots plus longtemps ? S'il évitait de discuter avec Pitch du retour possible de Flamme à la tête de son troupeau, c'est qu'il savait très bien que ce retour n'aurait pas lieu ! Il le savait depuis des jours... depuis le premier soir où l'étalon avait évité l'entrée de la gorge qui menait à la vallée Bleue. Flamme n'avait nulle envie d'y retourner. Le cheval pie avait laissé l'empreinte de ses dents et de ses sabots non seulement dans sa chair, mais aussi au plus profond de son cœur. La terreur qu'il inspirait à Flamme, la solitude, le besoin de compagnie expliquaient la facilité avec laquelle Steve avait gagné son amitié.

Alors Steve ne vit plus le cheval pie du même œil. Connaissant sa méchanceté et sa ruse, il comprenait que, si jamais Flamme manifestait la moindre frayeur dans une rencontre avec lui, il était perdu d'avance.

« Mais il n'y aura pas de nouveau combat ; rassure-toi, Flamme ! dit Steve en flattant l'encolure de son cheval. Je ne veux pas que tu sois tué. Tu es tout pour moi. Tant pis pour le troupeau ! Peu m'importe qu'il ait le cheval pie comme chef et que cette race de chevaux s'abâtardisse, pourvu que je te garde, Flamme. Je te sortirai d'ici. Je t'emmènerai chez nous. »

Aussi, ce soir-là, quand il eut regagné le campement, tandis que les ombres bleues des falaises s'allongeaient à travers la vallée, Steve confia à son ami son désir d'emmener Flamme à la fin de ses vacances. Pitch l'écouta attentivement. Il demeura silencieux et grave jusqu'à ce que son compagnon eût fini de parler.

Après un temps de réflexion, il répondit lentement, pesant bien ses mots :

« Tout cela ne me paraît pas sérieux, Steve. Tu n'as pas réfléchi aux conséquences de ce que tu projettes. Admettons que tu réussisses à sortir Flamme d'ici, que feras-tu de lui... un étalon sauvage ? Et Tom ? Que crois-tu qu'il en pensera ? Et tout ceci ? ajouta-t-il, en désignant d'un geste les falaises dont la crête semblait toucher le ciel qui commençait à s'assombrir. Ne crains-tu pas de révéler l'existence de ce monde perdu, ignoré de tous, sauf de nous deux ? (Puis, regardant Steve droit dans les yeux, il lui demanda d'un ton bref, presque irrité :) Et le troupeau ? As-tu oublié que tu voulais maintenir la pureté de cette race merveilleuse ? Il n'y a pas si longtemps que tu te disais prêt à faire n'importe quoi pour cela. C'est toi-même qui voulais trouver un moyen de tuer le cheval pie. Souviens-toi. »

Le visage bronzé de Steve s'empourpra. Il évita le regard de reproche de Pitch, et considéra les silhouettes noires des chevaux qui vaguaient sans bruit dans le crépuscule.

« Je n'ai pas voulu être dur avec toi, Steve, s'empressa d'ajouter son compagnon. Pardonne-moi, mon petit. Mais il n'est pas facile de suivre ton raisonnement. Pourquoi cette certitude que Flamme ne retournera pas à son troupeau ? Est-elle fondée, ou bien est-ce depuis que tu as monté l'étalon que tu as pris soudain cette décision de l'emmener ? »

Après un long silence, Steve répondit à voix basse :

« Il a peur.

— Pardon ? fit Pitch avec un sursaut d'étonnement. Je n'ai pas bien entendu. »

Steve se tourna vers son ami et répéta d'un ton dur :

« Il a peur...

— Peur ? Peur de quoi ?

— Du... du cheval pie, répondit Steve d'une voix mal assurée, car la peur de Flamme était une chose qu'il aurait voulu tenir secrète. (Mais il n'avait plus le choix désormais ; il fallait tout avouer à Pitch.) « Il ne reviendra pas, dit-il. Il ne retournera pas à son troupeau aussi longtemps que l'étalon noir et blanc sera là. Il ne veut pas s'approcher de la gorge qui conduit à la vallée Bleue. Plusieurs fois je l'ai vu s'en écarter. »

Pitch demeura silencieux ; son regard se porta vers la vallée où le cheval pie paissait avec son troupeau. Enfin il prit la parole :

« Je persiste à croire que tu devrais laisser Flamme ici, Steve, dit-il. Qu'en feras-tu à Antago ?

— De là, je le ramènerai chez nous, dit Steve.

— Ça coûtera bien cher... Plus que tu n'as d'argent...

— Lorsque nous reviendrons à Antago, pour chercher le bateau plat, je pourrai envoyer un câble à mon père, expliqua Steve, sans grande conviction.

— Que penses-tu que diront tes parents si tu leur demandes de l'argent pour ramener un cheval ?

— Oh ! j'espère que ça ne fera pas de difficulté. Papa comprendra, j'en suis sûr », répliqua vivement le garçon.

Pitch en doutait :

« Pas de difficulté ? En es-tu bien certain ? T'enverront-ils l'argent nécessaire ?

— Il faut absolument que je le ramène chez nous, Pitch, voyez-vous, dit Steve. Je ne pourrais pas l'abandonner à Antago... avec Tom.

— Sans aucun doute, dit Pitch en se levant. (Puis il ajouta :) Peut-être ferais-tu mieux de ne pas trop songer à emmener Flamme ? Attends d'avoir la réponse de tes parents, et laissons cela pour le présent.

— Je suis sûr qu'ils comprendront, répéta Steve. D'ailleurs, j'ai quelques économies. »

Le jeune homme resta un moment silencieux. Tout occupé de son cheval, il avait bien délaissé Pitch ces derniers jours. Où en était-il de ses recherches ?

« Dites-moi, Pitch, demanda-t-il, avez-vous encore le temps, ce soir, de me faire faire une promenade dans les souterrains ? Vous pourriez me montrer le chemin qui conduit au youyou ?

— Si tu veux, répondit Pitch. Je vais te montrer une galerie qui, peut-être, pourrait nous y conduire... du moins elle semble aller du bon côté.

— Bon ! Allons-y ! » dit Steve en se levant.

Chapitre 17

Le jour des adieux

Plusieurs jours de suite, pendant l'après-midi, Steve suivit son ami dans l'exploration des galeries. Il fut émerveillé de la rapidité avec laquelle celui-ci s'était familiarisé avec ce monde souterrain. Pitch marchait d'un bon pas à la lumière de la vieille lampe électrique retrouvée par miracle, ne s'arrêtant que pour montrer à Steve les salles et les carrefours qu'il avait récemment découverts, et où il se reconnaissait aisément à l'aide de signes marqués à la craie. Parfois ils rencontraient des galeries inconnues ; alors Pitch ralentissait l'allure, mais il ne tardait pas à s'orienter et décidait de la direction à prendre.

Chemin faisant, Steve ne cessait de songer à Flamme, au bonheur de le posséder quand il l'aurait ramené chez lui. En pensée, il rédigeait le message qu'il câblerait à son père car, mieux que sa mère, son père comprendrait ses sentiments. Il télégraphierait : PRIÈRE M'ENVOYER... « Combien coûterait le transport de Flamme ? se demandait-il. Si ça ne dépasse pas cent dollars, ça va, je les ai. Alors, je câblerai : URGENT. PRIÈRE M'ENVOYER MES CENT DOLLARS. J'AI

TROUVÉ MON ÉTALON. Non !... Il ne faut pas parler d'« étalon ». Le mot pourrait les effrayer. Je mettrai plutôt : MON CHEVAL... »

Mais c'était bien court. Jamais ils ne comprendraient tout ce que Flamme était pour lui !... Une lettre permettrait de plus amples explications... Oui, mais arriverait-elle à temps ? Et comment l'acheminer, même après le retour à Antago ?...

À mesure que Steve réfléchissait, les difficultés de son entreprise se révélaient presque insurmontables. D'ailleurs, en admettant que ses parents acceptent de payer le transport de Flamme, que ferait-il de l'étalon une fois chez lui ? Où le loger ? Comment le nourrir ?... Et un étalon sauvage encore ! N'était-il pas cruel de l'arracher à son paradis ?... Toutes ces réflexions se heurtaient dans l'esprit de Steve. Son indécision, son anxiété ne cessaient de grandir. Il ne savait vraiment plus que faire.

Un soir, au cours d'une exploration plus poussée que les autres, Pitch l'entraîna dans la galerie qui, croyait-il, devait aboutir à la côte et peut-être leur permettre de retrouver le youyou. Ils la suivirent longtemps, le cœur battant. Quand ils sentirent que l'air devenait plus vif, et que leur parvint le bruit du ressac, ils poussèrent des cris de joie. Le souterrain devenait de plus en plus étroit et s'achevait par une sorte de crevasse où ils se glissèrent, non sans efforts, l'un après l'autre. Quand ils se furent faufilés dans cet étroit passage, ils s'exclamèrent de surprise : ils se trouvaient au pied de la falaise qu'ils avaient si péniblement escaladée le lendemain de leur arrivée dans l'île Azul. La fente par laquelle ils venaient de passer se perdait dans les anfractuosités de la côte et était parfaitement invisible de l'extérieur. Ils étaient si heureux de cette découverte qui simplifiait tant leur retour qu'ils n'en finissaient pas de s'exclamer et de se féliciter. Désormais, il leur serait toujours facile, de quelque côté qu'ils viennent, de retrouver la vallée Bleue.

Dès l'aube, le lendemain, Steve regagna le vallon. De toute la journée il ne quitta pas son cheval, car ce jour-là n'était pas comme les autres... C'était le quatorzième jour qu'il passait dans l'île, et le lendemain matin Pitch et lui retourneraient à Antago !

« Mais je reviendrai bientôt, dit-il à Flamme en flattant tendrement son encolure au poil lustré. Je reviendrai te chercher, et nous ne nous séparerons plus jamais. »

Plus jamais ? Serait-ce possible ? Ses parents comprendraient-ils ? Et Tom, qui avait promis de lui laisser emmener n'importe quel cheval de l'île Azul, tiendrait-il parole ? Croirait-il que Flamme avait été réellement trouvé sur un récif ?

Steve laissait errer ses regards vers les falaises qui, à l'ouest, barraient la vue sur la mer. « Non, se disait-il, c'est impossible. Tom devinera que nous avons découvert toute une partie de l'île qu'il ne connaît pas et cherchera comment on peut l'atteindre... »

Le jeune homme se pencha sur l'étalon ; son visage touchait presque le cou de la bête. Celle-ci leva la tête, dressa les oreilles, fit quelques pas, puis s'arrêta pour brouter.

Steve la laissa faire un moment, puis il dit : « Allons, Flamme ! » et clappa doucement la langue. L'étalon leva la tête ; il s'avança en caracolant, tandis que Steve le pressait légèrement entre ses genoux. Il plongea sa tête dans la crinière du cheval, tandis que celui-ci partait au trot allongé qui lui était familier, puis il accéléra l'allure et prit le galop ; Steve pressa plus fort les flancs soyeux au poil fauve, et sentit les muscles puissants se gonfler sous ses genoux. Cramponné à son cheval, tandis que celui-ci filait tout autour du vallon, il continuait à clapper la langue au rythme des sabots martelant le sol.

Après avoir fait maintes fois le tour de la vallée, Steve cessa d'exciter l'étalon et lui commanda de s'arrêter. Ses foulées se raccourcirent ; il se mit au petit trot et enfin s'arrêta. Déjà le soleil déclinait derrière la falaise. Steve se laissa glisser à terre ; il était temps de rejoindre Pitch.

Le garçon se rapprocha de Flamme, appuya sa tête contre son doux museau.

« Je ne viendrai pas demain, murmura-t-il, ni après-demain... ni les jours suivants. Mais nous nous verrons avant peu, Flamme, et quand je reviendrai, ce sera pour t'emmener. Alors, nous ne nous quitterons plus jamais. »

Steve s'attarda encore à caresser son cheval et à lui parler avant de le quitter. Comme il se dirigeait vers le raidillon qui menait à la gorge, il entendit derrière lui un bruit de sabots. Il se retourna ; Flamme était derrière lui !

Steve alla vers lui, bouleversé. C'était la première fois que l'étalon venait aussi près de l'entrée de la gorge conduisant à la vallée Bleue. S'était-il trompé en croyant que Flamme redoutait le cheval pie au point de ne plus oser retourner par là ?

Après une dernière caresse, Steve repartit, suivi de l'étalon. Au moment où il allait s'enfoncer dans la gorge, le bruit des sabots cessa. Steve se retourna : son cheval le regardait avec de grands yeux interrogateurs. L'étalon secoua sa crinière et poussa un hennissement. Le jeune homme l'appela, mais le cheval

164

ne bougea pas et, l'instant d'après, se remit à paître. Alors Steve s'engagea dans la gorge.

En suivant la piste qui le ramenait au campement, Steve ne cessait de s'interroger : « Est-ce que Flamme va retourner vers son troupeau, après tout ? Est-ce que je me trompe en pensant qu'il préfère vivre seul comme un paria, plutôt que d'affronter le cheval pie ? Non, non ; de toute façon il ne vivra pas solitaire. Je l'emmènerai hors d'ici. Je ne veux pas qu'il se batte avec cette brute. »

Quand il eut atteint le champ de cannes, Steve vit l'étalon noir et blanc qui broutait près de son troupeau au milieu de la vallée ; il le guetta quelques instants, puis plongea dans les cannes où il continua de marcher à demi courbé. Il voyait en pensée le cheval pie comme s'il avait été réellement devant lui : ses petits yeux rapprochés où se lisait une haine farouche, ses longues oreilles de mulet rabattues sur sa tête massive, ses dents cruelles, son corps monstrueux.

Il se le représenta fonçant à la rencontre de Flamme comme il l'avait fait lors de leur combat ; son galop pesant faisait trembler la terre. Pendant quelques instants, le jeune homme revécut toutes les péripéties de l'affreuse lutte ; il entendait le bruit mat des sabot de l'étalon pie sur le corps de Flamme ; il revoyait les deux rivaux se déchirant à coups de dents !

Le drame se déroulait dans son imagination avec une telle acuité que Steve s'arrêta soudain, les mains moites, les yeux brillants. « Quelle folie d'imaginer tout cela ! se dit-il. Flamme ne reviendra plus ici ; il n'y aura plus de nouvelle rencontre... Et s'il revenait quand même ? pensa-t-il. S'il se battait avec le cheval pie en mon absence ? S'il était tué ?... Flamme est plus rusé et plus rapide que l'étalon noir et blanc, mais il ne se sent plus sûr de vaincre comme avant sa défaite... Quant au cheval pie, on ne peut dire que ce soit une brute aveugle ; il est intelligent et sournois, et sait tirer parti de son poids !... Il faut absolument que j'emmène Flamme dès que possible, conclut Steve. *À présent,* je ne peux pas supporter l'idée de sa mort. »

Steve pressa le pas, puis se mit à courir, se baissant parmi les cannes pour n'être pas vu de l'étalon noir et blanc. Là-haut, sur la falaise, Pitch devait l'attendre. Demain au point du jour, ils partiraient pour Antago... Il lui tardait d'agir pour sauver son cheval.

Le lendemain, ils eurent fini de déjeuner avant l'aube. Steve préparait activement son sac, tandis que Pitch s'attardait à contempler la vallée. À l'est, une aube grise commençait à se lever. À leurs pieds, le troupeau était déjà en train de paître.

« Pressons-nous, Pitch ! » fit Steve impatient.

Mais il fallut à Pitch quelques instants avant de pouvoir s'arracher à sa rêverie et se préparer au départ.

« As-tu jamais vu quelque chose d'aussi merveilleux, Steve ? demanda-t-il en désignant la vallée. Où pourrait-on trouver ailleurs qu'ici autant de beauté, de solitude et de paix ? »

Steve ne répondit pas. Il observait le cheval pie qui s'éloignait de son troupeau et se dirigeait vers l'étang. Quand enfin le garçon se tourna vers son ami, celui-ci, peu pressé de partir, contemplait ses découvertes : pistolets, sextants, éperons et quelques autres objets.

Steve se courba pour boucler son sac et dit :

« Partons, Pitch, il va faire jour. »

À son tour, il contempla la vallée qu'ils allaient quitter. Il ferait jour bientôt et ce serait le premier matin qu'il ne passerait pas avec Flamme depuis qu'il l'avait trouvé. « Est-ce que je vais lui manquer ? se demanda-t-il. Que va-t-il faire quand je serai parti ? »

Soudain, Pitch, qui était en train de soupeser un des éperons, demanda :

« Crois-tu, Steve, que je fais bien d'emporter ces souvenirs ? Ne vont-ils pas révéler aux gens d'Antago l'existence de la vallée Bleue ? C'est tellement merveilleux d'être seuls à connaître ce monde perdu ! N'est-ce pas comme s'il était à nous ? Rien qu'à nous deux ? J'ai bien réfléchi ces derniers jours, mon garçon. Je crois qu'il vaudrait mieux ne pas emporter mes trouvailles, mais plutôt revenir ici, toi et moi, tous les étés. Ainsi nous n'éveillerons la curiosité de personne ; nous serons censés faire chaque année du camping dans l'île Azul : voilà tout. »

Steve l'avait écouté en silence : il comprenait combien il en coûtait à son ami d'abandonner ses trésors pour quelque chose qui lui était plus cher encore. Quand Pitch eut achevé, Steve n'osa pas le regarder en face : il sentait, quant à lui, qu'il n'aurait jamais le courage de laisser Flamme afin de conserver pour eux seuls ce monde mystérieux. « Jamais je ne pourrai me séparer si longtemps de mon cheval, se dit-il ; j'aime cette vallée Bleue, mais lui bien plus encore. Je veux l'emmener... il faut que je le préserve du cheval pie. »

« Qu'en penses-tu, Steve ? demanda Pitch de nouveau. Ne faut-il pas laisser tout cela ici ? Ne crois-tu pas comme moi que ce serait plus sage ?

— Non, Pitch, répondit Steve lentement. Je pense

qu'il vaut mieux les emporter avec vous. (Il se tut un instant, puis déclara :) Pour moi, je vais emmener Flamme ; et quand Tom le verra... »

Steve n'acheva pas. L'étonnement et le doute qu'il lisait dans le regard de Pitch montraient combien son ami jugeait son projet déraisonnable.

« Comme tu voudras, dit celui-ci. Quant à moi, décidément, je laisse tout ici. »

Les yeux de Pitch brillaient, son visage s'était épanoui ; Steve se sentit soudain humilié et honteux de son égoïsme.

Sa décision prise, Pitch se mit pour de bon à préparer son sac. Quand il eut terminé, il jeta un regard à ses trésors et dit :

« Je m'en vais les cacher quelque part ; attends-moi, je ne serai pas long. »

Il ramassa ses trouvailles une à une et se dirigea vers la grotte devant laquelle ils avaient campé. Impatient de partir, Steve regarda le ciel d'un œil inquiet. Vers l'est, l'aube grise avait déjà fait place à la lumière dorée du soleil.

Il se reprit à songer à Flamme. « Quand je pense que je pourrais être près de lui à cette heure, se disait-il ; je le ferais trotter et galoper dans la vallée... Je suis sûr qu'il me cherche, qu'il se demande où je suis... Je lui manque, c'est certain... »

Pitch sortit de la grotte à l'instant même où le soleil s'élevait au-dessus des falaises ; déjà la rosée, sur le gazon, étincelait aux premiers feux du jour. Le troupeau paissait non loin de l'étang ; seuls les plus jeunes poulains gambadaient çà et là sur leurs longues jambes grêles, et parfois glissaient quand ils tournaient trop court. Le cheval pie broutait à l'écart, lançant de temps à autre un regard vers sa tribu.

Plein d'assurance et de défi, il paraissait exempt de toute inquiétude.

« Le soleil est déjà haut, dit Steve à Pitch qui chargeait son sac. Il est grand temps de partir si nous voulons être à Antago avant la nuit.

— Nous y serons bien avant », dit son compagnon.

Quand ils furent à l'endroit où le torrent jaillissait en cascade pour tomber à pic au bas de la falaise, Pitch s'arrêta de nouveau.

« Encore un dernier regard, Steve ! fit-il.

— Mais, Pitch, dit Steve, nous allons revenir dans quelques jours !

— Je sais, je sais. Mais c'est pour le cas où nous ne reviendrions pas. Peut-on savoir ! »

Tous deux suivirent du regard, une dernière fois, la gerbe d'eau de la cascade irisée par les rayons du soleil. Puis, tandis que Pitch contemplait la vallée Bleue, Steve regarda du côté du marais, au-delà duquel il savait que son cheval guettait son retour. Déjà les vapeurs commençaient à s'élever du marais.

« Je reviendrai bientôt, Flamme, murmura-t-il. Bientôt.

— Qu'est-ce que tu dis ? interrogea Pitch.

— Rien, Pitch, rien du tout. Allons-nous-en.

— Oui, dit Pitch. Il est temps. »

Mais le garçon ne faisait pas un mouvement. Il regardait intensément le fond de la vallée.

« Allons, Steve, dit Pitch. Ne rêve plus. Je suis prêt. »

Il allait pousser son ami du coude quand il remarqua la pâleur de son visage, ses yeux grands ouverts, son regard fixe. À son tour il regarda vers le bas de la vallée et vit ce qui fascinait son compagnon.

L'étalon était là-bas ; son énorme silhouette se détachait sur la brume épaisse du marais qu'il venait de traverser. Il fit quelques pas ; alors sa robe brilla au soleil comme une coulée de feu.

Flamme était revenu dans la vallée Bleue !

Chapitre 18

La revanche
de Flamme

Tête haute, l'étalon à la robe feu demeura un long moment immobile. Steve tremblait, attendant son hennissement de défi ; mais aucun appel ne rompit le silence. Le cheval pie continuait de paître, inconscient de la présence de son rival, car le vent soufflait dans la direction de celui-ci.

Flamme ne faisait pas mine de se rapprocher de l'ennemi ; il tournait la tête à droite et à gauche, comme s'il cherchait quelque chose.

« C'est toi qu'il cherche, remarqua Pitch, non le cheval pie.

— Oui, dit Steve. Vous avez raison : c'est *moi* qu'il cherche ! »

Le cœur de Steve se mit à battre très fort. Son visage s'empourpra. Un instant il se tint immobile, comme hésitant ; puis soudain, jetant son sac, il s'élança vers le marais. Il sentit sur son bras la main de Pitch. D'un geste de colère, il secoua l'étreinte de son ami ; celui-ci lâcha le bras de Steve, puis l'empoigna de nouveau. Hors de lui, Steve se retourna, pâle et bégayant de fureur.

« Imbécile ! hurla Pitch. Où vas-tu ? Te faire tuer

pour protéger ton cheval ? Ne vois-tu pas qu'ils vont se battre de nouveau ? »

Mais déjà Steve avait échappé à son compagnon et se précipitait vers Flamme. Pitch le suivait, criant :

« Steve ! Steve ! Arrête-toi, idiot ! »

Steve ne l'entendait pas. Courant comme un fou, il abandonna la piste et, au lieu de se diriger vers le champ de cannes pour se protéger, s'élança à travers la prairie, droit vers son cheval.

Les juments poussèrent des cris aigus en le voyant passer près d'elles ; les jeunes poulains se blottirent contre leurs mères ; le cheval pie releva brusquement la tête, s'ébroua, puis se rua en avant, les oreilles couchées, les yeux brillants de colère.

Insouciant du danger, le garçon courait toujours. Il ne voyait que le plus court chemin pour atteindre Flamme ; il n'entendait que le bruit de ses propres pas.

Soudain, un cri de terreur retentit, et Steve, se retournant, vit Pitch à quelques pas derrière lui. Celui-ci s'était brusquement immobilisé, comme pétrifié. Steve entendit alors le bruit de tonnerre de sabots qui ébranlaient le sol jusque sous ses pieds. Il pâlit affreusement à la vue du cheval pie qui fonçait sur eux. Hors de lui, il courut à son compagnon et hurla :

« Vite ! À l'étang ! Vite ! »

Déjà il avait saisi Pitch par un bras et le tirait vers l'eau, leur unique salut.

L'étang était à vingt-cinq pas devant eux mais, à cinquante pas derrière eux, l'étalon noir et blanc fonçait en s'ébrouant.

Pitch commençait à souffler dur et ses jambes mollissaient. Steve, plus vigoureux et mieux entraîné, courait à son côté, la tête à demi tournée vers le che-

val pie. L'animal découvrait ses dents, lançait des regards furieux ; toute son attitude montrait qu'il en voulait aux deux hommes.

Plus que dix pas jusqu'à l'étang, rien qu'une seconde, et ils seraient saufs ! Trop tard ! Le cheval pie était sur leurs talons ! Steve poussa son ami vers l'étang et se jeta de côté. L'étalon le suivit, heurta violemment son bras encore tendu et, tournoyant sur lui-même, Steve s'abattit sur le sol tandis que le cheval pie glissait sur son arrière-train. D'un bond Steve se releva et, sans se redresser, repartit vers l'étang avec l'élan du sprinter au signal de départ. De nouveau l'étalon se rua sur lui, mais Steve n'était plus qu'à quelques pas de l'eau ; d'un bond désespéré, il s'y précipita.

Quand il revint à la surface, il entendit un hennissement sonore comme l'appel d'un clairon. Flamme proclamait sa volonté de reconquérir la vallée Bleue ! À peine l'écho eut-il renvoyé cet orgueilleux défi de falaise en falaise qu'on entendit hennir les juments apeurées, impatientes de se grouper en cercle autour de leurs poulains.

Flamme plongea à travers le champ de cannes ; il fut bientôt au centre de la vallée. Quelques centaines de pas le séparaient du cheval pie. Celui-ci s'était tourné pour lui faire face. L'étalon à la robe de feu s'arrêta le temps de pousser de nouveau son cri de guerre, puis s'avança vers son ennemi.

L'étalon noir et blanc se rua à sa rencontre, le regard furieux, tandis qu'au galop de ses jambes fines, Flamme s'élançait vers lui. Les mottes de terre volaient de tous côtés et la vallée retentissait du tonnerre des sabots.

Cependant les deux hommes étaient sortis de l'eau. Allongés sur le bord de l'étang, ils guettaient avidement les moindres mouvements des deux étalons. La chemise de Steve était déchirée à l'endroit où le cheval pie l'avait heurté, et son bras pendait, inerte.

Dans quelques secondes, les énormes bêtes seraient aux prises, car Flamme avait accéléré l'allure en approchant de son rival. Steve s'en inquiéta : il se rappelait qu'à leur premier combat, l'étalon à la robe feu avait attendu prudemment l'assaut du cheval pie et, avec l'agilité d'un boxeur confirmé, avait évité le choc de son énorme masse.

Steve s'efforça de se rassurer. « Flamme n'a pas peur », se dit-il. Puis il s'écria :

« Pitch, il faut qu'il gagne ! Il le faut absolument !

— C'est ta faute, s'il est là, Steve, murmura Pitch. Il ne serait pas revenu à la charge s'il ne t'avait pas vu ! »

Les paroles de Pitch se perdirent dans le bruit du heurt terrible des deux bêtes lancées l'une contre l'autre avec la furieuse envie de tuer. Les chevaux se heurtèrent de plein fouet, ni l'un ni l'autre n'ayant essayé d'éviter le choc ; tous deux étaient animés d'une haine farouche qui devait faire de cette seconde lutte un spectacle encore plus affreux que leur premier combat.

Sans se soucier de l'avantage que son poids donnait au cheval pie, Flamme se dressa en même temps que lui après le premier choc. Il tenta de le saisir au cou de façon que son ennemi ne puisse s'arracher à ses redoutables mâchoires. Hennissant de rage, l'étalon noir et blanc lança une ruade de ses lourds sabots sur le garrot de Flamme qui broncha sous le coup. Le cheval pie se jeta de nouveau sur lui pour l'abattre. Mais Flamme virevolta et, de ses longs postérieurs, décocha une ruade à la tête de son adversaire. Celui-ci chancela mais tint bon ; il se ressaisit promptement et se prépara à soutenir un nouveau coup de Flamme, qui tournait autour de lui, prêt à l'attaque. Bientôt les deux bêtes furent au corps à corps ; elles essayaient de se mordre et leurs cris résonnaient dans le cirque des falaises.

L'une et l'autre s'efforçaient de saisir l'adversaire à la gorge, mais chaque fois elles esquivaient le coup de dents fatal. De plus en plus, le cheval pie cherchait à vaincre par l'avantage que lui donnait son poids et se ruait sur Flamme de toute sa masse. Il redoutait visiblement les coups de dents que celui-ci lui portait avec la rapidité de l'éclair.

« Mais pourquoi Flamme ne s'écarte-t-il pas de cette brute ? balbutia Steve. Pourquoi ?

— Il sait ce qu'il fait, crois-moi », répondit Pitch.

Pourtant la force brutale, dans ce corps à corps où ni l'un ni l'autre ne lâchait pied, commença à peser en faveur de l'étalon noir et blanc. Flamme faiblissait, ses mouvements devenaient moins prompts ; plusieurs fois le cheval pie faillit le mordre au cou.

Confiant dans sa victoire, celui-ci redoubla de fureur ; les yeux fous, il se jetait aveuglément de toute sa masse sur l'adversaire. Dressés sur leurs postérieurs, les deux chevaux, comme d'habiles escrimeurs, se portaient des coups, paraient, esquivaient, se séparaient, puis revenaient à l'attaque avec des cris stridents. On aurait dit des démons. Leurs corps ruisselaient de sueur et de sang. L'étalon à la robe feu lâchait pied lentement. Son adversaire poussa un hennissement de triomphe et se rua sur lui de tout son poids. D'un écart, Flamme évita le choc.

Steve crut que c'était la fin, que son cheval allait chercher son salut dans la fuite comme lors du premier combat. Il se mit à hurler :

« Sauve-toi, Flamme ! Sauve-toi donc ! »

Mais cette fois Flamme fit volte-face et s'apprêta à soutenir un nouvel assaut. Il avait changé de tactique ; il semblait que, pendant ces dernières minutes, l'atroce perspective d'une seconde défaite eût stimulé l'intelligence de l'animal et calmé la fureur qui l'aveuglait. Ses mouvements redevinrent plus prompts ; il frappait dur et, se déplaçant aussitôt pour esquiver la riposte, il enfonçait ses sabots dans le poitrail de l'adversaire.

Le cheval pie adopta à son tour la tactique de son rival ; cessant de se fier à la supériorité de son poids, il guetta le moment d'exploiter au mieux son avantage au lieu de se ruer lourdement comme au début de la lutte. Ses petits yeux brillaient méchamment. Tenace et prudent à la fois, il s'efforçait de frapper l'adversaire de ses sabots de devant, tantôt à la tête, tantôt au poitrail mais, une fois sur deux, ses coups tombaient dans le vide.

Les combattants s'ébrouaient, poussaient des cris aigus ; leurs flancs palpitaient douloureusement à mesure qu'ils s'essoufflaient. On sentait que les deux étalons, visiblement épuisés, avaient hâte d'en finir.

Le cheval pie fonça de nouveau sur Flamme qui fit un écart pour l'éviter, mais chancela et tomba. D'un effort désespéré, il se remit sur ses pieds à temps pour affronter le cheval pie. Dressé sur ses postérieurs, celui-ci tentait de l'écraser sous son poids. Flamme se dressa lui aussi et, au lieu d'esquiver le choc, lança ses sabots en plein dans le poitrail de l'adversaire.

À son tour le cheval pie chancela, essaya de se rétablir ; mais Flamme continua de le marteler, puis mordit à pleines dents le cou de la brute, et cette fois, *il tint bon !* Avec un long cri de douleur, le cheval pie s'écroula lourdement. Alors seulement,

Flamme desserra les mâchoires, se redressa et piétina furieusement le vaincu jusqu'à ce que celui-ci demeurât inerte sous ses coups.

Puis, levant sa tête sanglante et blanche d'écume, il fit retentir la vallée Bleue de ses hennissements de triomphe et retourna vers son troupeau !

Pâles et tremblants d'émotion, Steve et Pitch se relevèrent péniblement. Seul ce dernier put articuler un mot.

« Horrible ! horrible ! » murmura-t-il.

Les yeux embués, Steve était paralysé par l'angoisse. Il n'osait croire à la victoire de son cheval. Peu à peu, il se ressaisit. « Enfin, c'est fini ! pensa-t-il. Jamais plus je ne veux revoir pareille bataille ! Flamme est vivant ! Et il a tué le cheval pie ! »

Alors il sentit qu'une main ouvrait sa chemise déchirée et tâtait son bras.

« Mais, Steve, il est cassé ! s'exclama Pitch inquiet. Il faut repartir au plus tôt ! (Et, lui passant le bras autour de la taille, il ajouta :) Tu pourras tenir bon jusqu'à notre retour, n'est-ce pas ? Il faut que le médecin d'Antago te soigne sans tarder. »

Steve se laissa entraîner vers la piste. Soudain, il s'arrêta :

« Flamme aussi est blessé, Pitch ! Il lui faut des soins !

— Toi d'abord, répliqua Pitch doucement. Lui peut se tirer d'affaire sans nous. Il l'a déjà fait. »

Les juments ayant rompu le cercle, les poulains gambadaient çà et là, hennissant après leurs mères. Flamme les surveillait d'un œil attentif. Il ne se tourna vers les deux hommes qu'au moment où ils approchaient de la piste. Il leva fièrement sa petite tête et lança vers Steve son étrange sifflement, puis, au petit trot, approcha et s'arrêta à quelques pas, attendant que Steve vînt jusqu'à lui.

Demeuré à l'écart, Pitch vit son compagnon se jeter au cou du cheval et, après avoir examiné ses blessures, passer sa joue sur le doux museau de l'animal. Ils restèrent ainsi quelques minutes. Puis Steve ayant dit « au revoir » à son cheval, celui-ci fit volte-face et regagna sa tribu.

« Les blessures sont propres et moins profondes que je ne le craignais, dit Steve en rejoignant son ami. Elles seront assez vite guéries, du moins je le crois. »

Tous deux remontèrent la piste au flanc de la falaise jusqu'au souterrain. Arrivés là, ils se retournèrent pour jeter aux chevaux un dernier regard. Flamme trottait autour des juments et des poulains, sa crinière et sa longue queue flottant au vent. Un moment il s'arrêta et leva la tête vers la corniche où Steve était juché. Il fit retentir la vallée d'un long hennissement, puis s'en retourna vers son troupeau.

Steve comprit alors que son cheval ne pourrait vivre ailleurs que là, qu'il serait insensé de l'emmener hors de l'île Azul. Sans un mot, sans un regard en arrière, il suivit Pitch et s'engagea dans le souterrain.

Chapitre 19

Projets d'avenir

Sortis du paisible cabinet du médecin, Pitch et Steve se retrouvèrent au milieu du bruit et du mouvement de la Grande Rue d'Antago. Debout sur le seuil, ils paraissaient hésiter à se mêler à la foule.

« J'ai l'impression de m'éveiller d'un très long rêve... », dit Pitch à mi-voix.

Il observa un moment l'agitation de la rue où les autos et les piétons défilaient et se croisaient confusément ; puis son regard se fixa de nouveau sur le bras que Steve portait en écharpe.

« Qu'y a-t-il, Pitch ? demanda Steve, remarquant l'air absorbé de son compagnon.

— Si je ne voyais pas ton bras, dit Pitch, je croirais que toute notre expédition à l'île Azul n'a été qu'un songe !

— Pourtant, Pitch, vous savez bien que nous n'avons pas rêvé, dit-il, que tout ce que nous avons découvert là-bas y est resté tel que nous l'avons vu, et que nous pourrons le retrouver chaque fois que nous le voudrons. C'est notre secret. Vous-même l'avez dit : personne ne saura jamais ce que nous avons découvert dans l'île Azul. Personne. »

De nouveau, Pitch s'absorba dans la contemplation de la rue. Puis comme se parlant à lui-même :

« Tout est si différent, maintenant, dit-il. J'avais oublié combien... Je veux dire, c'est comme si... »

Il se tut, cherchant ses mots.

Steve vint à son aide.

« Je sais, Pitch, dit-il. C'est pourquoi notre découverte nous paraît d'autant plus précieuse. Nous avons à présent un monde pour nous seuls. Rien que pour nous, Pitch, songez donc ! »

Les yeux de Steve brillaient d'enthousiasme à la pensée du monde mystérieux où ils venaient de vivre deux semaines si fertiles en événements et en émotions. Mais Pitch ne dit mot. Il continuait d'observer les passants avec, dans son regard mobile, quelque chose d'inquiet. Depuis leur arrivée au port, quelques heures auparavant, Steve avait l'impression que, d'une manière indéfinissable, son ami avait changé. Que se passait-il donc ?

« Eh bien, Pitch, demanda-t-il enfin, qu'y a-t-il ? Vous ne semblez plus le même qu'avant...

— Tu veux dire, interrompit l'excellent homme, que j'ai changé depuis que nous avons quitté la vallée Bleue ? Peut-être que oui, peut-être que non... » (Il se tut, regarda le mouvement de la rue, puis avec un hochement de tête vers une direction indéfinie, il déclara :) Ces gens que tu vois s'agiter, ce sont les mêmes, je suppose, qui ont fait... tout ça... Cette ville, du moins en partie. Nous sommes redevenus des leurs depuis notre retour à Antago. Nous avons notre part des responsabilités...

— Je ne vous comprends pas, Pitch. Où voulez-vous en venir ?

— Là-bas, dans la vallée, dit Pitch lentement, j'étais redevenu un gamin. La découverte d'un monde mystérieux m'avait enthousiasmé. Rien ne me semblait plus merveilleux que de garder ce secret pour nous deux. Mais à présent, je me demande si nous en avons le droit...

— Pitch ! s'écria Steve, en le tirant par le bras pour l'obliger à le regarder en face. Vous ne voudriez pas... vous ne pouvez pas trahir notre secret !

— Mais, mon petit, tu ne comprends donc pas ?... Avons-nous vraiment le droit de garder pour nous une exploration et des trouvailles que tous les hommes doivent connaître ? Moi aussi, j'aurais aimé conserver notre découverte pour nous deux. Crois-moi, Steve. Tout ce que je t'ai dit à ce sujet quand nous étions dans l'île, je le pensais. Mais nous voici maintenant revenus dans le monde civilisé, et je me demande si notre devoir n'est pas de divulguer ce que nous avons découvert. »

Steve était pâle d'indignation contenue.

« Et Flamme ? interrogea-t-il d'un ton amer. Que pensez-vous qu'il adviendra de lui et de son troupeau ? Avez-vous oublié comment Tom dresse les chevaux ? Non, Pitch, non, mille fois non. Je ne veux pas que vous trahissiez notre secret ! (Et, d'un ton résolu, il déclara :) Je ne sais pas encore au juste comment je m'y prendrai, mais je vous empêcherai de le faire.

— Cesse de dire des sottises, Steve, répliqua Pitch sèchement. Tu sais bien que, moi non plus, je ne désire pas voir tomber les chevaux de la vallée Bleue aux mains de Tom. Tout ce que je souhaite pour le présent, c'est que nous discutions ce problème en gens raisonnables et que tu admettes que nous ne devons pas oublier nos responsabilités... Crois-tu, poursuivit-il, qu'il ne m'est pas pénible d'abandonner mes trouvailles ? Ne vois-tu pas combien je désire continuer l'exploration de l'île Azul ?

— Pardonnez-moi, Pitch, dit Steve.

— J'ai plus d'expérience que toi, mon garçon, expliqua Pitch. C'est pourquoi je mesure l'importance de nos découvertes beaucoup mieux qu'on ne peut le faire à ton âge. Il me semble qu'elles peuvent intéresser les savants comme les historiens, et que nous devrions les faire connaître. »

Steve réfléchit un moment, s'efforçant de saisir le point de vue de son compagnon, mais la pensée de Flamme et de son troupeau ne cessait de l'obséder. Enfin il demanda :

« Ne pensez-vous pas, Pitch, qu'il y a, un peu partout dans le monde, des archéologues et des historiens qui travaillent seuls... une quantité de gens comme vous qui ont déjà fait des découvertes remarquables, mais attendent des années que les résultats de leurs recherches vaillent la peine d'être publiés ?

— Sans doute, avoua Pitch. Je suis même certain qu'il y en a. J'ai un ami historien qui poursuit des recherches au Tibet depuis sa jeunesse et dont personne ne connaît encore le travail... Tu veux dire... ? (Il s'arrêta.) Tu penses que je... ? »

Tandis que Pitch parlait, Steve crut voir briller dans ses yeux la flamme des premiers jours de leur exploration ; sa voix s'échauffait peu à peu.

« Je pense, répliqua-t-il vivement, que vous avez une splendide occasion de faire seul des recherches passionnantes, sans être gêné par les indiscrets. C'est la chance de votre vie, Pitch ! (Steve surveillait les réactions de son ami sur son visage. Il lut dans ses yeux le doute, l'incertitude, le manque de confiance en soi.) Vous en êtes très capable, Pitch, insista-t-il. J'en suis sûr.

— Le crois-tu vraiment, Steve ? Je ne suis qu'un novice, bien que j'aie lu des tas de choses sur les

184

conquistadors. Mais j'ai encore tellement à apprendre en fait d'histoire et d'archéologie...

— Mais vous avez tout le temps de travailler encore, Pitch ! s'exclama Steve. Pensez aux loisirs dont vous jouissez depuis que vous habitez Antago ; et là, vous êtes à pied d'œuvre pour vos recherches. (Puis il ajouta d'un ton convaincu :) Un novice, vous ? Jamais un novice n'aurait fait tout ce que vous avez fait en si peu de temps dans ces souterrains. »

Tandis qu'il parlait, Pitch s'efforçait de contenir la joie et l'espoir que ces paroles faisaient naître en lui, mais en vain : ses traits épanouis, l'éclat de son regard derrière les lunettes en disaient assez.

« À dire vrai, avoua-t-il, je me crois capable de faire du bon travail. Je pourrais tracer un plan complet des galeries et des salles. Il y en a sûrement un bon nombre que je n'ai pas encore explorées. Pense donc, Steve, à tout ce qu'on peut y trouver ! Il y aurait au moins la matière d'un livre ! Mais oui ! Je me sens capable d'écrire au moins un long mémoire. Qui sait ? Ce pourrait être la célébrité ! »

Pitch se tut, rougissant et un peu confus de son emballement.

« Je veux dire, reprit-il, qu'une société savante pourrait le remarquer et en tirer parti pour d'autres travaux. (Puis, repris d'un doute, il ajouta après un nouveau silence :) Mais mon travail demandera beaucoup de temps, Steve ; il faudra des années peut-être, surtout à un homme seul ! »

Steve eut un sourire :

« C'est ce que je pensais, Pitch ! Tout à fait ce que je pensais.

— Tu comprends, je voudrais que ce soit une étude complète, non l'œuvre d'un débutant », précisa Pitch.

Steve prit son ami par le bras tandis qu'ils descendaient la Grande Rue.

« Je suis sûr que vous vous en tirerez, Pitch, lui dit-il. Et puis, vous ne serez pas toujours seul : je reviendrai tous les étés... dès les premiers jours de l'été. »

Pitch s'arrêta net, et se tournant vers Steve :

« Je ne peux pas te dire à quel point je me sens réconforté, avoua-t-il. Je savais bien qu'en discutant notre affaire calmement nous trouverions la solution. Jamais je n'aurais eu de moi-même l'idée et le courage d'entreprendre seul ce travail... surtout avec l'espoir de me faire connaître. Mais j'y suis décidé à présent, mon garçon, fit-il avec un bon sourire. J'ai pleine confiance en notre succès. »

Les deux amis marchaient côte à côte, Pitch protégeant le bras de Steve contre les passants maladroits. Devant l'agence maritime, ils avisèrent un tableau noir où on lisait :

ARRIVÉES.
Lundi prochain,
CARGO « HORN ».
Départ le même jour.
Place disponible pour fret, à destination
de Porto Rico, Haïti, et des États-Unis.
POSTE : *Dernière levée : 7 heures, le jour du départ.*

« Il est exact au rendez-vous, remarqua Steve.

— Tu vas bien me manquer, Steve, dit Pitch.

— Moi aussi, Pitch, je vais m'ennuyer de vous, dit le garçon avec chaleur. Mais nous nous reverrons avant qu'il soit longtemps ! »

Ils firent encore quelques pas et trouvèrent enfin un taxi. Le chauffeur s'apprêtait à démarrer quand un gros camion stoppa de l'autre côté de la rue. Son conducteur les appela.

Steve reconnut Tom. Il se rencoigna dans la voiture, mais Pitch se pencha à la portière et, gaiement, salua son frère.

« J'ai une course à faire, lui cria Tom, et je rentre aussitôt ! Jamais je n'aurais cru que vous tiendriez deux semaines dans l'île Azul ! Dis-le au petit, et qu'il a gagné son pari. Il pourra emmener le cheval sauvage de son choix... s'il y tient toujours, ajouta-t-il avec un gros rire.

— Eh bien, Steve, fit Pitch quand son frère eut démarré, tu l'as, ton cheval.

— C'est vrai ! dit Steve, l'air rêveur. Je l'ai, en effet, et bien à moi, à présent ! »

Il se tut, évoquant dans sa pensée une image qui ne cesserait plus jamais de le hanter désormais : l'image de ces matins merveilleux où, presque allongé sur l'encolure soyeuse de Flamme, il galopait autour du cirque de falaises dans le silence et la paix de la vallée Bleue.

Table

Composition *Jouve* - 53100 Mayenne

Imprimé en France par *Partenaires-Livres*®
n° dépôt légal : 3821 - août 2000
20.07.0562.01/7 ISBN : 2.01.200562.4

Loi n° 49-956 du 16 juillet 1949
sur les publications destinées à la jeunesse